RELIEFS

Collection dirigée par
Anne-Marie Villeneuve

Éditions Druide
1435, rue Saint-Alexandre, bureau 1040
Montréal (Québec) H3A 2G4

www.editionsdruide.com

CE NE SERA PAS SI SIMPLE

R
L'Italien

Catalogage avant publication de Bibliothèque et Archives nationales du Québec et Bibliothèque et Archives Canada

L'Italien, Annie
Ce ne sera pas si simple : roman
(Reliefs)
ISBN 978-2-89711-046-8
I. Titre.

PS8623.I89C4 2013   C843'.6   C2013-940293-4
PS9623.I89C4 2013

Direction littéraire : Anne-Marie Villeneuve
Édition : Luc Roberge et Anne-Marie Villeneuve
Révision linguistique : Annie Pronovost et Isabelle Chartrand-Delorme
Assistance à la révision linguistique : Antidote 8
Maquette intérieure : www.annetremblay.com
Mise en pages et versions numériques : Studio C1C4
Conception graphique de la couverture : Gianni Caccia
Illustration de la couverture : Jacques Laplante
Photographie de l'auteur : Maxyme G. Delisle
Diffusion : Druide informatique
Relations de presse : Evelyn Mailhot

ISBN papier : 978-2-89711-046-8
ISBN EPUB : 978-2-89711-047-5
ISBN PDF : 978-2-89711-048-2

Éditions Druide inc.
1435, rue Saint-Alexandre, bureau 1040
Montréal (Québec) H3A 2G4
Téléphone : 514-484-4998

Dépôt légal : 1er trimestre 2013
Bibliothèque nationale du Québec
Bibliothèque nationale du Canada

© 2013 Éditions Druide inc.
www.editionsdruide.com

Imprimé au Canada

Annie L'Italien

CE NE SERA PAS SI SIMPLE

Roman

Druide

La mort est mal faite. Il faudrait que nos morts, à notre appel, reviennent, de temps en temps, causer un quart d'heure avec nous. Il y a tant de choses que nous ne leur avons pas dites quand ils étaient là !

Jules Renard

La mort, c'est le meilleur moment de la vie; c'est pour cela qu'il est préférable de le garder pour la fin.

Gustave Parking

JOUR 1 – Montréal

EMMA
Là où tout a commencé

— C'est vous, la médium ?

— Ah non, moi, voyez-vous, ce serait plutôt la large. J'aime les vêtements amples.

— (…)

Ciel que je suis drôle. Mais mon interlocutrice ne semble pas de cet avis.

— Sérieusement, c'est vous qui parlez aux morts ?

— Oui. Non. En fait, ce sont eux qui me parlent, moi je ne fais qu'écouter.

— Je veux parler à mon mari qui est mort.

— Il vous faudra payer l'interurbain.

— (…)

Bon, décidément, mon humour ne passe pas. Je capitule.

— Entrez donc.

C'est ainsi que débutent grand nombre de mes journées et soirées, avec quelques variations sur le même thème. On sonne à la porte, je réponds, je me retrouve à discuter avec un(e) inconnu(e) qui a besoin de mes services. À mon grand désarroi, le bouche-à-oreille fait des merveilles.

J'imagine déjà votre réaction : certains vont émettre un retentissant «pfff» (les incrédules), les autres vont chercher mon adresse dans l'annuaire (les crédules). Je dis les crédules parce que j'aime bien généraliser, et qu'une majorité de mes clients le sont au plus haut point. Si je leur demandais de mettre un doigt dans une narine et un autre dans l'oreille pour établir la communication, ils le feraient. Je le sais, j'ai essayé.

Vous m'excuserez, j'admets que ça peut sembler un peu méprisant. C'est que, voyez-vous, je fais partie des incrédules. Si vous m'aviez dit il y a cinq ans que je pourrais prédire l'avenir et que je servirais de téléphone cellulaire aux morts, je vous aurais ri au nez. J'étais de celles qui allaient consulter une voyante juste pour pouvoir se payer sa tête et lui faire dire n'importe quoi. Il y en a d'ailleurs une à qui j'ai raconté que ma fille de huit ans (je n'ai pas d'enfants) était très douée pour le dessin, et que mon mari (je suis célibataire) souhaitait l'inscrire à un concours international de design sur les conseils de sa mère décédée depuis dix ans. La voyante, qui ne voyait finalement pas grand-chose, m'a chaudement recommandé d'écouter ma très sage belle-mère et d'acquiescer à la demande de mon époux, puisque ma petite allait sans aucun doute remporter le concours et devenir une très grande dessinatrice de mode. C'était dans son karma, figurez-vous, puisqu'elle était Coco Chanel dans une vie précédente. N'importe quoi.

Vous comprendrez donc que lorsque «ze» don s'est révélé à moi, je n'y ai pas cru une seconde.

Bon, il est vrai que j'ai toujours eu des intuitions étranges, même toute petite. J'avais pris l'habitude de les passer sous silence, en partie pour éviter que les gens se moquent de moi, et en partie parce que je m'auto-trouvais bizarre. Avec le recul, je constate que c'est une bonne chose. Je n'étais pas équipée pour faire face aux conséquences.

Une fois adulte (en théorie, du moins), l'opinion d'autrui est devenue moins importante pour moi, et j'ai entrepris de faire part de mes intuitions à mes proches, davantage pour les amuser qu'autre chose. Le jour où j'ai eu une vision nette dans laquelle un ami était victime d'un accident grave, et que l'accident s'est vraiment produit, j'ai commencé à avoir peur.

Mais pas autant que lors de ma rencontre avec mon premier visiteur de l'au-delà, un ami décédé depuis quelques années.

J'avais à l'époque décidé de m'initier à la méditation. Vêtements confortables, bougies, encens et musique douce, gracieusement assise en position du lotus sur un joli coussin, je croyais avoir le kit complet de la parfaite petite méditeuse. Mon ami a dû lui aussi trouver que l'ambiance était formidable, puisqu'il a choisi ce moment pour cogner doucement à la porte de mon cerveau. Trop abasourdie pour réagir, je l'ai laissé entrer. Puis j'ai paniqué. Je lui ai dit de partir, j'ai ouvert les yeux et je suis sortie de la pièce en courant. J'étais bouleversée, pas tant parce que tout ça mettait sérieusement en doute ma santé mentale, mais parce que je venais de vivre des émotions inconnues auparavant, et que je pressentais qu'elles pouvaient signifier le début d'une nouvelle étape qui allait potentiellement changer ma vie.

Trois verres de vin plus tard, la tentation étant trop forte, je suis retournée m'asseoir sur le joli coussin. Mon ami est revenu, et cette fois je suis restée.

Même si je voulais vous expliquer clairement ce qui s'est passé, j'en serais incapable. Chose certaine, cette rencontre a donné le ton à toutes les autres.

Je comprends aujourd'hui que cet ami était un émissaire envoyé pour me rassurer; imaginez la frousse que j'aurais ressentie si un parfait inconnu était venu me visiter en premier? D'ailleurs, ils ont le sens des relations publiques dans l'au-delà, parce c'est encore le même ami qui m'a présenté mon deuxième visiteur. Je dis «présenté», mais vous vous doutez bien que ce n'était pas: «Emma, je te présente Roger, Roger, voici Emma». Mon ami s'est pointé dans ma tête avec Roger, qui voulait que je dise à sa veuve, une adorable voisine venue prendre le thé chez moi, qu'il était temps de refaire sa vie. Il avait essayé de le lui faire comprendre du mieux qu'il le pouvait, mais elle était déterminée à ne pas remarquer ses interventions plus ou moins subtiles.

Complètement dépassée, j'ai refusé de l'aider. J'ai opté pour le déni total, me traitant de folle, et j'ai décidé de fermer la petite porte mentale qui s'était ouverte.

J'aurais plutôt dû bâtir un mur. Mon ami a continué à ouvrir la porte, m'amenant chaque fois de nouveaux visiteurs avec de nouveaux messages, que je comprenais de plus en plus facilement. Déni, déni, re-déni.

En fait, je ne voyais pas très bien à quoi l'au-delà voulait en venir, puisque je refusais systématiquement les missions qui m'étaient confiées. Jusqu'à ce que ma copine Nathalie me dise qu'elle s'ennuyait terriblement de sa grand-mère Octavie, décédée depuis peu. Nous prenions tranquillement un café chez moi, elle parlait, je la consolais. Puis, sa grand-maman a cogné à la porte de mon cerveau. Et plutôt que de garder sa visite pour moi, comme je le faisais habituellement, j'ai dit spontanément :

— Octavie va bien. Pichou est avec elle

— Hein ?

— Son chien Pichou est avec elle. Et elle sourit.

— Tu te fous de moi ou quoi ?

— Non.

— Comment t'as su qu'elle avait un chien qui s'appelait Pichou ?

— Je l'ai vue, elle a souri, m'a montré un chien, puis un soulier de course. Pour moi, ça pouvait signifier qu'elle est contente de passer l'éternité à courir après son chien, ou encore qu'elle est heureuse d'être avec son chien qui s'appelle Adidas. Mais comme mon père a toujours appelé les souliers de course des « pichous de toile », j'ai pensé à Pichou.

— Tu me fais capoter.

— Je me fais capoter.

Devant ses yeux ronds et sa bouche grande ouverte, j'ai été obligée de lui expliquer qu'en plus de mes bonnes vieilles intuitions, j'avais maintenant droit à des «visites» au cours desquelles les gens de l'au-delà me révélaient des symboles qu'ils me savaient apte à comprendre pour transmettre leurs messages. Je lui ai dit d'oublier ce qu'on montrait dans les films ou à la télévision, que je ne voyais pas de fantômes ni de formes humaines translucides bouger devant moi, ou encore — mon cliché favori —, que mon corps n'était pas investi par un esprit qui me ferait changer de voix et dire des trucs débiles. Je lui ai expliqué que tout ça se passait à un autre niveau, plus symbolique, comme un rêve éveillé.

Elle a fini par me croire, mais surtout, elle est partie de chez moi soulagée de savoir que sa grand-mère allait bien.

C'est génial quand les gens se sentent mieux grâce à nous, non? Mais la pression, lorsque ça devient une responsabilité quotidienne pour le restant de vos jours, vous y avez pensé?

Après une larmoyante période de «pourquooooiii mooooiii?!», je me suis retrouvée devant un intéressant dilemme: revenir en arrière, ne plus parler de mes visions et essayer de maintenir une certaine tranquillité en espérant que tout ça disparaisse, ou aller de l'avant et accepter «ze» don pour ce qu'il est vraiment, une façon (un peu particulière, j'avoue) d'être une bonne petite scoute et d'aider mon prochain. Et puis, rien ne m'empêchait, tout en faisant une place à ma nouvelle vocation dans mon horaire, de poursuivre mon travail de consultante en communications, à la fois pour m'assurer un revenu stable et pour tenter de maintenir une certaine normalité dans ma vie.

Après mûre réflexion, j'ai décidé de plonger. Comment aurais-je pu retourner à mon ancienne vie, alors que tant de gens ont besoin de communiquer avec l'au-delà, et vice-versa? Mais non, je ne suis pas une sainte. J'ai accepté ma mission en me promettant tout plein de jolies récompenses en cours de route: puisque mes clients risquaient de me visiter surtout le soir et la fin de semaine, j'ai prévu prendre une fin de semaine sur deux de congé, et deux mois de vacances complets par année.

Je me suis vraiment décidée lorsque j'ai compris une évidence pourtant bien simple : je pouvais choisir d'arrêter à tout moment. Vivre avec la culpabilité, mais arrêter quand même.

C'est alors que tout a commencé à débouler. La mère de mon amie Nathalie est venue me voir, puis ses sœurs, tantes, cousins, grand-tantes, voisins et collègues se sont succédé à ma porte, et en ont parlé à d'autres, qui en ont parlé à d'autres, qui en ont parlé à d'autres.

Je suis toujours étonnée de constater qu'en cette ère de cellulaires et de courriels, les gens se pointent souvent chez moi sans s'annoncer, dans le (pas très) chic quartier Pointe-Saint-Charles. Et eux sont tout aussi étonnés lorsque j'ouvre la porte : pas de turban ni de tunique aux couleurs criardes. Je suis le modèle même de la trentenaire ordinaire qu'on croise à tous les coins de rue : ni grande ni petite, ni dodue ni mince, cheveux bruns moyens, ni courts ni longs. Mon uniforme est constitué de jeans, de t-shirts et de blouses simples, et de beaucoup, beaucoup de vêtements noirs. Moyenne sur toute la ligne. Ma seule concession à l'excentricité est une collection de foulards colorés que je choisis en fonction de mes humeurs.

N'aimant pas particulièrement le titre de médium, j'ai tenté de trouver autre chose. Pendant un moment, j'ai considéré qu'« audelàienne » était plutôt joli, mais comme je devais chaque fois expliquer de quoi il s'agissait, j'ai laissé tomber. Il m'arrive encore d'utiliser ce terme à l'occasion, mais seulement avec les gens qui me connaissent bien. Donc, va pour médium.

Finalement, en plus de pouvoir communiquer avec les morts, j'ai aussi la capacité de voir les vies antérieures, mais ça, c'est un peu secret. Au début de ma « carrière », il m'arrivait d'en parler à mes clients. Avec le temps, j'ai appris à ne plus le mentionner. Les gens ne veulent pas entendre qu'ils ont été esclaves, paysans ou marchands de poisson au xve siècle. Tout le monde veut avoir été Cléopâtre ou Louis XIV. Mais si l'on considère que chaque personne sur terre a eu en moyenne une centaine de vies, quelles sont selon vous les probabilités d'avoir été un personnage historique à chaque fois ? Exactement. Plutôt que de décevoir mes clients, je me tais.

Alors, si on résume la situation, j'ai des prémonitions, je reçois des messages de l'au-delà et je « vois » les vies antérieures. Pouvez-vous imaginer la pagaille qui règne dans mon cerveau ? Ça m'a pris quelques années pour démêler tout ça, pour classer mes pensées en « avant », « maintenant » et « bientôt ». Mais j'y arrive, je vous assure !

Ce qui est plus difficile à gérer, c'est le côté émotif. Pour tout vous dire, je m'ennuie parfois de ma vie pré-don. À part mes amis et ma famille, je n'avais que peu d'intérêt pour ce qui arrivait à mon prochain, et encore moins à l'autre d'après. J'aimais mon nombril, et mon nombril m'aimait. Nous filions le parfait bonheur, bien à l'abri derrière un mur de protection à toute épreuve.

Atteindre l'équilibre émotif dans ma nouvelle vie n'a pas été une mince affaire, jusqu'à ce que je découvre que ma meilleure arme était sans aucun doute l'humour. Je continue à prendre très au sérieux la détresse de mes visiteurs, mais je le fais avec quelques sourires bien placés, une pointe de sarcasme et un soupçon de dérision. Ça met tout le monde à l'aise et c'est drôlement plus agréable.

Dieu merci pour moi, la majorité de mes clients veulent communiquer avec leurs parents disparus à un âge avancé, après une vie bien remplie. Parce que lorsqu'il s'agit d'enfants décédés, je ne peux pas. En fait, techniquement, je peux, mais je pleure presque autant que mes clients, ce qui n'est agréable pour personne.

Bon, avec tout ça, j'en oubliais presque ma cliente…

JEAN-SIMON
Là où tout a commencé

— C'est vous, le détective privé ?

— Privé, privé, plutôt public, dernièrement…

— Sérieusement ?

— Oui, oui, je suis Jean-Simon Pellerin. Entrez.

Et voilà. Une autre journée, un autre coup de sonnette, un autre client à rencontrer. J'aimerais que mes clients satisfaits le soient un peu moins, et surtout qu'ils en parlent un peu moins. J'avais une vie, avant. J'étais relativement heureux, tranquille, petit boulot, petite routine. Aujourd'hui, je n'ai qu'une envie, couper les fils de ma sonnette. Ou me sauver, carrément. Partir pour un pays exotique, prendre un forfait tout inclus, m'écraser sur le sable, boire comme un trou, rencontrer plein de filles et oublier de revenir.

J'avais tout fait pour ne pas suivre les traces de mon père et de mes frères, policiers jusqu'à la moelle. Journaliste financier, j'étais le mouton noir de la famille et très heureux de mon sort. Mes talents d'investigateur se sont révélés graduellement, mais je n'en ai pris officiellement conscience que le jour où j'ai compris que mon rédacteur en chef ne me confiait plus que des sujets qui nécessitaient une enquête. Lorsque l'une d'entre elles m'a permis de faire éclater au grand jour les méfaits d'un homme d'affaires aussi corrompu que véreux, je suis devenu une étoile locale. C'est alors que tout a commencé.

Il faut avouer qu'au début, j'étais flatté. J'acceptais les enquêtes privées par défi et parce que ça m'amusait. Puis, quand j'ai compris que les clients qui se tournaient vers moi étaient bien souvent désespérés, je l'ai fait par appât du gain. Bon bon bon. Ne jouez pas les vierges offensées. Si un étranger vous offrait dix mille dollars pour retrouver son chien, vous refuseriez? C'est bien ce que je pensais. J'ai donc quitté mon poste de journaliste pour devenir détective privé à temps plein. Vous devez penser que je souhaitais aussi rentrer dans les bonnes grâces de ma famille, mais c'est faux. Je suis toujours le mouton noir. Un enquêteur sans insigne, ce n'est pas un vrai enquêteur.

De toute façon, je préfère nettement travailler à mon compte. Pas d'horaire, pas de patron qui me surveille, pas de responsabilités autres que de faire de mon mieux pour boucler mes enquêtes. Et puisque je n'ai personne dans ma vie, ça signifie que je suis libre comme l'air à tous les niveaux. Même si j'aimerais avoir plus de temps pour moi, je n'ai jamais été aussi heureux.

Voyons maintenant si ma visiteuse et son portefeuille pourront contribuer à augmenter encore plus mon niveau de bonheur.

EMMA
Une histoire à l'eau d'œillet

Ma nouvelle cliente potentielle n'est pas ce qu'on pourrait considérer comme une femme sympathique. Petite, maigrichonne, grise des cheveux aux souliers, on voit tout de suite à la position de ses rides qu'elle n'a pas souri souvent dans sa vie. D'ailleurs, elle pince ostensiblement les lèvres en détaillant attentivement le fouillis qui règne chez moi.

— Vous voulez un café, madame… ?

— Non.

— Un thé, madame… ?

— Non.

— Un verre d'eau, madame… ?

— Écoutez, je ne suis pas ici en visite sociale. Vous demandez combien ?

— Combien pour quoi, au juste ?

— Pour m'… m'…

Visiblement, le mot « aider » lui écorche la bouche. Je ne vais certainement pas lui faciliter la tâche. Et en plus, elle refuse de me dire son nom.

— Vous quoi ? Vous accompagner au supermarché ? Vous donner des cours de tricot ? Vous héberger pendant qu'on repeint votre maison ?

— Non, non, vous savez bien ce que je veux dire.

— Vous aider, peut-être ?

— Oui, voilà.

— Je ne reçois pas d'argent pour mes services, madame.

— Pardon?

— J'ai dit: «Je ne reçois pas d'argent pour mes services, madame».

— Je vous ai entendue, mais je ne saisis pas…

— J'ai un emploi bien payé, je n'ai pas besoin de revenus supplémentaires. J'ai toujours voulu bénévoler, alors c'est ma façon à moi d'aider les gens.

— Bénévoler n'est pas un vrai mot.

— (…)

— Bon, peu importe. Ça fonctionne comment?

— Vous mettez un doigt dans votre narine, l'autre…

— Vous vous moquez de moi?

— Absolument. Désolée. J'espérais vous voir sourire, mais c'est raté.

— Je n'ai aucune envie de sourire, mademoiselle. Ce qui m'amène ici n'a rien d'une comédie.

— Venons-en aux faits, alors.

Je m'attendais à l'histoire classique d'un conflit émotionnel non réglé avec le mort. La réalité est un peu plus complexe.

— Je m'appelle Marielle Denoncourt. Mon mari, Louis-Joseph Denoncourt, avait une maîtresse. Ça durait depuis des années. J'étais au courant, bien sûr, et il savait que je savais, mais nous n'en avons jamais discuté. Ça m'arrangeait.

— Comme ça, il vous laissait tranquille?

— (…)

— Désolée, continuez.

— Je disais donc… Ça m'arrangeait, jusqu'à la lecture de son testament. Voyez-vous, mon mari était un fanatique d'énigmes, de codes secrets et de films d'aventure où les héros trouvent un trésor à la fin. Alors, il s'est concocté un testament-mystère par lequel il me lègue la majorité de ses biens, à condition que j'arrive à découvrir je ne sais trop quoi. Il a fait la même chose à sa maî-tresse, en précisant bien que «première arrivée, première servie».

— Je ne suis pas certaine de saisir pour quelle raison vous vou-lez faire appel à moi. Pourquoi ne pas engager un détective privé ?

— Je dois vous dire que j'ai toujours cru que les médiums étaient des charlatans sans scrupules qui profitent de la crédulité de pauvres gens naïfs et simples d'esprit.

— Merci, c'est gentil.

— Laissez-moi terminer. Je n'ai jamais cru aux fantômes ou autres manifestations surnaturelles. Mais depuis hier, des faits étranges m'obligent à réviser mes positions.

Je la laisse poursuivre son récit, sans interruption sarcastique cette fois.

Marielle Colbert et Louis-Joseph Denoncourt s'étaient ren-contrés il y a près de quarante ans au cours d'une réception de mariage. Il était grand et fort, elle était menue et timide.

— Coup de foudre ?

— Absolument pas. Le père de Louis-Joseph était un riche commerçant, et toutes les mères du quartier voulaient que leur fille le marie. La mienne y comprise.

— Très romantique.

— Ma famille était pauvre, mademoiselle. Mes parents ont immigré de France lorsque j'avais dix ans, et bien qu'ils aient réussi à mettre tous les jours du pain sur la table, ils ne sont jamais parvenus au niveau de confort qu'ils souhaitaient m'offrir. Me voir épouser un homme riche est devenu leur seul objectif. La fin justifiant les moyens, j'ai joué les cartes que j'avais, à savoir mon joli visage et ma timidité. Louis-Joseph en avait assez de toutes ces filles qui se pendaient à son cou et rivalisaient pour l'impres-sionner. J'étais tout le contraire. Il m'a courtisée pendant un an, puis nous nous sommes mariés.

— Des enfants ?

— Trois. Deux garçons et une fille. Mais ils n'ont rien à voir dans l'histoire. De toute façon, ils ne font pratiquement plus partie de ma vie.

— J'imagine que c'est inutile de demander pourquoi ?

— Effectivement.

De plus en plus agréable, cette dame. Le reste de sa vie de couple est un cliché en plusieurs actes ; après la naissance des enfants, les époux s'éloignent graduellement l'un de l'autre, monsieur travaille trop et est peu présent, madame s'occupe de la maison et de la marmaille, se tape l'éducation et la discipline, alors que papa absent est reçu en héros à chacune de ses apparitions. Rien d'intéressant à signaler. Jusqu'à la mort de Louis-Joseph, deux mois plus tôt.

— De quoi est-il mort ?

— Crise cardiaque. Il n'a pas souffert, malheureusement.

— (…)

— Il était au lit avec sa maîtresse lorsque ça s'est produit. Je n'ai pas de détails sur les circonstances, je n'en veux pas non plus.

— Je peux comprendre…

— Non, mademoiselle, vous ne pouvez pas. J'ai été cocue pendant des années. J'ai enduré cette humiliation sans jamais lui faire de reproche. Qu'il meure dans les bras de cette femme est l'affront ultime.

Nous restons muettes pendant quelques instants, de mon côté parce que je ne trouve rien à ajouter de pertinent. Pour ma visiteuse, le silence est lourd de frustrations et de reproches non formulés.

C'est terrible, mais malgré tout ce qu'elle vient de me raconter, je n'arrive pas à la trouver sympathique. Certaines personnes vivent des choses horribles, en tirent les leçons qu'il faut et continuent de sourire. Pas elle, pas depuis plusieurs années, je l'aurais parié. Elle ne dégage que dureté, méchanceté et amertume.

Lorsqu'elle parle enfin du testament, c'est avec un détachement souverain. Le père de Louis-Joseph Denoncourt lui avait autrefois légué une petite fortune, que ce dernier avait fait fructifier au point de laisser derrière lui un véritable empire. Et l'avenir de cet empire dépendait maintenant de la résolution d'un petit jeu de son cru. Visiblement, monsieur Denoncourt compense largement le manque d'humour de sa froide épouse.

— Parlez-moi du testament.

— Je vais faire mieux, je vais vous laisser le lire.

TESTAMENT DE LOUIS-JOSEPH DENONCOURT

Je soussigné, Louis-Joseph Denoncourt, homme d'affaires, domicilié au 208, McEchran, Ville d'Outremont, Province de Québec, Canada, né le 14 octobre 1932, portant le numéro d'assurance sociale 140 320 092, fais mon testament comme suit :

ÉTAT CIVIL

Je suis malheureusement marié à Marielle Denoncourt née Colbert, et heureusement lié à Angélique Radisson.

RÉVOCATION

Je révoque expressément tout autre testament, codicille et autre disposition testamentaire antérieure au présent testament. Sans restreindre la portée générale de ce qui précède, tout autre testament, codicille et autre disposition testamentaire que j'ai pu faire jusqu'ici sont par les présentes révoqués.

FUNÉRAILLES ET SÉPULTURE

Je laisse le soin de mes funérailles, obsèques, service et sépulture à la discrétion de mes enfants, Charles, François et Julianne Denoncourt, qui ont sans aucun doute beaucoup plus de goût que leur mère et qui s'assureront que je partirai dans la dignité, et non dans une vieille boîte de bois à vingt-cinq dollars.

LEGS UNIVERSEL

Je lègue sans condition dix pour cent de mes biens à chacun de mes enfants, pour un total de trente pour cent. La teneur de ces legs est détaillée en annexe.

Je lègue sans condition à mon chauffeur, ami et confident des trente dernières années, Marcel Rougemont, trois de mes cinq voitures, à son choix, représentant deux pour cent de mes biens.

Considérant que les deux femmes qui ont partagé ma vie revêtent à mes yeux la même importance (mon épouse parce qu'elle m'a donné trois beaux enfants dont je suis fier, et ma maîtresse parce qu'elle ensoleillait mes journées), et considérant qu'à leur façon elles ont toutes les deux rendu ma vie impossible à un moment ou à un autre, il m'est difficile de départager le mérite de l'une ou de l'autre. Conséquemment, pour obtenir les soixante-huit pour cent restants, elles devront suivre les instructions données ci-dessous, ainsi que toutes les instructions subséquentes :

Marielle :   point de départ

Angélique :   point de départ

Elles pourront réquisitionner toute l'aide dont elles auront besoin.

Je passe rapidement le reste du testament, qui ne contient que les formules d'usage, et pose la première question qui me vient à l'esprit :

— J'imagine que vous avez vérifié la validité du document ?

— Évidemment. Louis-Joseph était bien conseillé, il n'a rien laissé au hasard.

Je prends quelques minutes pour digérer le tout. Le monsieur a décidément le sens de l'humour. Et l'expression « instructions subséquentes » laisse à penser qu'il y aura une suite, qu'il s'agira d'aller d'indice en indice. Embaucher un détective me semble plus que jamais la meilleure solution pour madame Denoncourt.

— Parlez-moi des événements bizarres qui vous ont amenée ici.

— Vous pensez bien que j'ai commencé mes recherches avant de venir vous voir. Je ne souhaitais pas impliquer d'étrangers dans ce cirque ridicule. Je crois que « Point de départ » doit être l'endroit où Louis-Joseph et moi nous sommes rencontrés. Mais chaque fois que j'ai voulu m'approcher du but, on m'a mis des bâtons dans les roues.

La première fois qu'elle avait voulu se rendre sur les lieux de leur rencontre, une salle de réception du nord-est de la ville, la voiture avait refusé de démarrer. Un mécanicien appelé sur les lieux lui avait expliqué que la batterie était déchargée. La seconde fois, elle avait eu un accident. Un camion sorti de nulle part l'avait embouti. La troisième fois, elle ne trouvait carrément plus ses clés de voiture. À bout de patience, elle avait appelé un taxi. Qui ne s'est jamais pointé. Puis un autre, qui n'est jamais venu lui non plus.

— C'est effectivement curieux, mais tout ça peut être mis sur le compte du hasard.

— J'aurais voulu le croire moi aussi. Jusqu'à ce que la femme de ménage retrouve mes clés en faisant l'époussetage : elles étaient cachées derrière notre photo de mariage, sur le piano.

— Encore une fois, je ne vois rien de surnaturel là-dedans. Je miserais plutôt sur votre rivale, qui veut vous empêcher d'avancer.

— Comment aurait-elle pu ? Elle n'a certainement pas les clés pour entrer chez moi, et la voiture était dans le garage. De toute façon, je ne la crois pas capable de provoquer un accident.

— Admettons qu'il s'agisse vraiment d'un coup de votre mari. Comment expliquez-vous qu'il vous incite à participer à la chasse, puis qu'il vous empêche de le faire ? Ce n'est pas logique.

— Il trouve sans doute très drôle de me voir m'enfarger dans des obstacles qu'il a lui-même semés. Mais surtout, il veut que je demande de l'aide. Alors, vous voulez lui parler, oui ou non ?

— Madame Denoncourt, en toute honnêteté, je ne vois toujours pas pourquoi vous faites appel à moi.

Elle pousse un soupir exaspéré, lève les yeux au plafond et prend tout son temps pour murmurer, les mâchoires serrées :

— Mon mari croyait aux esprits, aux médiums et à toutes ces imbécilités. Avec son testament, il y avait une courte note, rédigée de sa main : « Même si je pouvais encore te parler, tu ne m'écouterais pas. Passe par elle, elle m'écoutera, où que je sois ». Votre adresse s'y trouvait également. Il m'avait déjà parlé de vous. Son chauffeur vous a consultée il y a quelques mois, et mon mari avait l'intention de venir vous voir pour communiquer avec sa mère.

— Vous savez, je suis très occupée et…

— Je vous demande de m'aider.

Ciel ! Elle a prononcé « aider » ! Elle doit vraiment être à court d'arguments. Bon, de toute façon, ma curiosité est piquée. Et si elle s'est trompée sur toute la ligne, nous le saurons bien assez tôt.

— D'accord. Donnez-moi quelques minutes pour méditer un peu. Vous avez une photo de votre mari ? Ça m'aiderait à faire le focus et à m'assurer que c'est bien lui, s'il se manifeste évidemment.

Je dis « méditer », parce que c'est plus facile à saisir pour le commun des mortels. Mais dans la réalité, je prends ce moment pour me vider l'esprit et ouvrir les portes de mon cerveau. Dans ce cas-ci, j'ai à peine le temps de tourner la poignée que la porte s'ouvre à la volée, poussée par un grand gaillard souriant sous sa moustache grisonnante, aussi sympathique que sur la photo. Frissons. Je le salue mentalement, il me fait une petite courbette et me montre différentes choses. Les yeux toujours clos, je dis à madame Denoncourt :

— Petit mouton tondu.

— Pardon ?

— Petit mouton tondu.

J'entends « boum ». J'ouvre les yeux, elle est par terre, évanouie.

JEAN-SIMON
Bla bla bla

J'observe discrètement la dame qui a sonné à ma porte : blonde platine, vêtements moulants un peu trop voyants, la jeune quarantaine, pitoune, probablement peu fortunée.

— Qu'est-ce que je peux faire pour vous ?

— Mon nom est Angélique Radisson. J'aimerais que vous m'aidiez à résoudre une énigme, mais je n'ai probablement que très peu d'argent à vous offrir, alors ça dépendra de vos tarifs.

— Ils varient selon l'affaire. Entrez, expliquez-moi tout et je vous ferai une estimation des frais.

Madame Radisson me suit jusqu'à la cuisine, tout au fond de l'appartement. Si elle est impressionnée par sa taille ou par la propreté étincelante qui y règne, elle n'en laisse rien paraître. Généralement, ça déroute les gens. Ils ont souvent des idées préconçues sur l'environnement d'un détective, sans doute à cause de tous ces films noirs où ils vivent dans des trous miteux et poussiéreux. Mes visiteurs s'attendent presque à entrer dans un univers en noir et blanc.

D'une voix tremblante et avec un surplus de détails inutiles, ma cliente potentielle entreprend de m'exposer la raison de sa présence chez moi. Maîtresse d'un homme marié bla bla bla, très amoureuse bla bla bla (tiens, j'ai faim, avoir su, j'aurais mangé avant), la femme de l'amant est une peau de vache bla bla bla (faudrait pas que j'oublie de sortir les ordures), crise cardiaque bla bla bla, mort subitement dans son sommeil bla bla bla (je me demande si la fille que j'ai rencontrée hier va me rappeler), homme riche, testament bla bla bla… (Riche? Testament? Ah, tiens, ça devient intéressant.)

— Je me sens un peu dépassée par les événements, et je ne sais pas trop comment m'y prendre. Comme je vous le disais, je n'ai pas une fortune à mettre sur ces recherches. Par contre, si je suis assez chanceuse pour mettre la main sur la part d'héritage qui devrait me revenir, je m'engage formellement à vous en donner un certain pourcentage. Disons… cinq pour cent?

— Cinq pour cent de combien selon vous? Mille dollars? Dix mille dollars? Cent mille dollars?

— Mon amant, l'amour de ma vie, était Louis-Joseph Denoncourt.

Je laisse échapper un sifflement impressionné. Si ce qu'elle dit est vrai, ces cinq pour cent pourraient représenter une sacrée petite fortune.

— Ça me va. Parlez-moi du testament.

EMMA
La chasse est officiellement ouverte

Marielle Denoncourt reprend doucement ses esprits. Lorsqu'elle se souvient de ce qui s'est produit, ses yeux s'ouvrent pour de bon.

— Pourquoi avez-vous dit : « Petit mouton tondu » ?

— Parce que c'est ce que votre mari m'a montré : un mouton de taille normale, puis un mouton plus petit, sans laine sur le dos. Vu votre réaction, j'en déduis que ces mots signifient quelque chose pour vous ?

— Oui… C'est une chansonnette que mon mari hurlait dans la maison lorsqu'il voulait me faire sortir de mes gonds.

— Pourquoi vous fâchait-elle ?

— Parce qu'elle est vulgaire et stupide.

— Pouvez-vous me la réciter ?

— *Tit mouton tondu, Qui a la crotte au cul, Quand il rote ça ballotte, Quand il rue ça pue.*

J'essaie désespérément de garder mon sérieux, mais c'est impossible. Les paroles sont comiques, d'accord, mais c'est surtout l'expression de dédain mêlé de honte de madame Denoncourt qui m'achève. Wouhaaaa! Je ris tellement que je cours m'enfermer dans la salle de bain. Louis-Joseph aurait pu trouver n'importe quoi pour prouver à sa femme qu'il communiquait vraiment à travers moi, une date de naissance, un fait connu seulement d'elle, mais non. Il a choisi une comptine rigolote qui enrageait sa femme au plus haut point. Ciel qu'il me plaît, cet homme!

Une fois calmée, je retrouve madame bec-pincé à la cuisine.

— Je crois que c'était sa façon de me prouver que vous n'êtes pas une arnaqueuse ou une illuminée.

— Probablement. Alors, nous voilà toutes les deux convaincues, vous de mon honnêteté, moi de la pertinence de ma participation.

— Pouvez-vous rétablir le contact, voir s'il a autre chose à dire ?

J'essaie, mais rien ne vient.

— Je crois que la meilleure chose à faire serait que je vous accompagne à la salle de réception où vous vous êtes rencontrés.

— D'accord.

Nous prenons ma voiture, une vieille Colt bleu poudre et rouille avec sièges en minou et chevaux peints sur les portières. Qu'elle roule encore tient du miracle. Ayant la très mauvaise habitude de manger en conduisant, et la non moins mauvaise habitude de ne pas me débarrasser des ordures subséquentes, mon automobile n'est pas des plus accueillantes. Je réprime un sourire en voyant l'air dédaigneux de ma passagère. Louis-Joseph doit avoir beaucoup de plaisir à observer la scène de là-haut.

Le trajet me semble interminable, surtout que ma cliente ne fait pas le moindre effort pour entretenir la conversation.

— On a un bel automne, vous ne trouvez pas ?

— Non.

— Non ? Pourquoi ?

— Parce que.

— Ah, tiens, on passe devant un de mes restaurants préférés. Aimez-vous la cuisine thaïlandaise ?

— Non.

— Vietnamienne ?

— Non.

— Szechuannaise ?

— Mademoiselle, le silence ne me cause aucun inconfort. Vous pouvez arrêter de me poser des questions inutiles.

Super. Très agréable. Je respecte son souhait et ne lui adresse plus la parole. Avec un plaisir sadique et ma voix la plus nasillarde, j'entreprends plutôt de chanter le tube le plus quétaine de l'heure. Na.

Enfin à destination, nous constatons immédiatement que l'ancienne salle a connu des jours meilleurs. Toutes les fenêtres de l'endroit, fermé depuis longtemps, sont barricadées par des planches de bois couvertes de graffitis. La porte principale est elle aussi condamnée, mais la porte de service étant légèrement entrouverte, nous nous faufilons à l'intérieur.

Le contraste entre ma vision d'une salle de danse (chaude, pleine d'énergie et de mouvement) et la réalité actuelle est saisissant. Le froid et la poussière ont investi les lieux, des tables et des chaises renversées jonchent le sol. Il y a des traces de petites pattes dans la poussière sur le plancher, on dirait bien que les rats ont organisé leurs propres soirées dansantes.

Pas besoin de chercher bien longtemps : un coffret en bois se trouve au beau milieu de la salle. Madame Denoncourt laisse échapper un petit cri et se précipite pour l'ouvrir. Elle y découvre une simple feuille de papier.

Marielle,

Bravo! Content de voir que tu te souviens du lieu de notre rencontre. J'aurais cru qu'avec les années, tu l'aurais oublié, tout comme tu as oublié d'être honnête quant à ta motivation pour m'épouser.

J'espère que tu ne croyais pas que l'héritage se trouvait dans le coffret. Ce ne sera pas si simple, ma chère. Pour poursuivre, rends-toi là où s'est concrétisée l'étape suivante de notre vie, lorsque je t'ai demandé ta main.

Louis-Joseph

JEAN-SIMON
Olé !

Après avoir pris quelques instants pour lire le testament (quel rigolo, ce Denoncourt), Angélique et moi nous rendons à pied «là où tout a commencé», un restaurant mexicain de la rue Duluth situé à quelques minutes de mon appartement.

— C'est ici que vous vous êtes connus?

— Pas exactement. Louis-Joseph et moi, on travaillait ensemble depuis plus d'un an lorsque c'est arrivé. Je faisais partie du comité organisateur d'un party de Noël de bureau, qui s'est avéré un fiasco total: un ramassis de bouettes informes de différents tons de beige et brun constituait le buffet, la jolie piñata en forme d'âne remplie de bonbons n'a jamais voulu exploser, et les musiciens étaient nuls et saouls.

— Bref, tout allait de travers.

— Exactement! Quand Louis-Joseph s'est approché de moi, je pensais qu'il allait me mettre à la porte sur-le-champ, mais il a plutôt éclaté de rire, m'a donné une grande claque dans le dos et offert une margarita, ce qui était sans doute sa façon à lui de me consoler. Des margaritas, nous sommes passés à la Tequila, et de la Tequila nous sommes passés à mon appartement, et c'est là que notre belle relation a débuté.

— Savez-vous précisément où chercher dans le restaurant?

— Pas du tout, mais entrons. Peut-être que quelque chose me sautera aux yeux, qu'en pensez-vous?

Le quelque chose en question nous saute effectivement aux yeux. C'est une piñata en forme d'âne visiblement fabriquée spécialement pour l'occasion, puisqu'il y est inscrit «Ange» en papier mâché, le surnom que Louis-Joseph donnait à Angélique.

— Je me demande qui est le complice qui a préparé ça!

— Sans doute Marcel, le chauffeur de Louis-Joseph. Je ne serais pas étonnée qu'il ait reçu des instructions détaillées bien avant que Louis-Joseph ne meure, parce que Louis-Joseph était très prévoyant.

Il faudrait qu'Angélique arrête de dire «Louis-Joseph» à tout bout de champ, je pense que je sais de qui elle parle.

Depuis que je fais ce métier, je me suis retrouvé dans des situations invraisemblables plus souvent qu'à mon tour. J'ai fouillé dans une benne à ordures, j'ai rampé sous des voitures dans une cour à ferraille, j'ai même dû manger vingt-deux fois consécutives dans le même restaurant parce que celui que je pistais était un homme d'habitudes. Mais jamais je n'avais frappé une piñata, en compagnie d'une dame d'un certain âge, sous les regards sidérés d'une trentaine de clients. Lorsqu'elle a explosé (la piñata, pas la dame d'un certain âge), une feuille de papier a virevolté au milieu des bonbons.

Ange,

C'était il y a 20 ans, mais je m'en souviens comme si c'était hier. Tu étais si belle dans ton désarroi, si saoule après à peine quelques verres. Si je m'étais écouté ce soir-là, et si je t'avais écoutée les centaines de fois où tu m'as demandé de le faire, j'aurais laissé ma femme.

J'espère que tu ne croyais pas que l'héritage se trouvait dans l'âne. Ce ne sera pas si simple, ma chère. Pour poursuivre, rends-toi là où a eu lieu la prochaine étape importante de notre vie, lorsque tu m'as cassé le nez.

Louis-Joseph

EMMA
Rencontre du deuxième type

Comme j'ai du mal à l'imaginer s'adonnant paisiblement à la randonnée pédestre, je suis étonnée lorsque Marielle m'apprend que notre prochaine destination est le chalet au sommet du mont Royal.

— Fermez votre bouche, mademoiselle, ce n'est pas très seyant.

— Désolée, mais vous comprendrez que...

— Que quoi? Que c'est plutôt incongru, comme endroit? Je ne vous le fais pas dire. Mais comme j'avais pour objectif d'épouser Louis-Joseph, je me pliais en souriant à toutes ses lubies, y compris celle de grimper le mont Royal. Une petite randonnée de quelques heures n'est rien lorsqu'on souhaite une vie entière de confort.

À mon corps défendant, je viens de trouver une qualité à madame Denoncourt: la franchise. Avec moi du moins, elle n'utilise pas de faux-fuyant et dit ouvertement ce qu'elle pense, et je commence à l'apprécier. Bon, sa franchise est quelque peu brutale, mais je préfère ça au mensonge.

Lorsque nous arrivons sur les lieux, plusieurs personnes admirent déjà la vue du centre-ville de Montréal, dont un couple mal assorti composé d'un homme séduisant à l'allure décontractée et d'une femme plus âgée vêtue d'un tailleur fuchsia avec un col en faux zèbre. Je comprends au cri scandalisé de madame Denoncourt que la femme n'est nulle autre que la maîtresse elle-même en personne, Angélique.

Lorsque je reviens à moi, je suis étendue sur le sol et trois paires d'yeux m'observent attentivement.

— Qu'est-ce qu…

— Vous vous êtes effondrée, mademoiselle, m'apprend Marielle, sans la moindre trace de sollicitude dans la voix.

Ça me revient, maintenant. La dernière chose que j'ai vue, ce sont les deux femmes se dirigeant l'une vers l'autre avec agressivité. Ensuite, un Louis-Joseph à la mine réjouie a fait son apparition en ouvrant abruptement une porte de mon cerveau. Ce type d'intervention inattendue ne me convient pas, on dirait. Je suis généralement préparée aux visites que je reçois, et quand ce n'est pas le cas, mes visiteurs ont la gentillesse d'y aller avec douceur, ce qui me donne l'occasion de m'asseoir et de les accueillir convenablement. Je vais devoir expliquer à Louis-Joseph que même là-haut, il y a des règles de conduite à respecter.

— C'était volontaire.

— Votre chute? me demande Marielle.

— Non, la rencontre. Louis-Joseph voulait que ça se produise.

— Qui êtes-vous? s'informe Angélique.

— C'est ma… nièce, intervient Marielle.

— Pourquoi dites-vous que c'était volontaire? s'étonne Angélique, ignorant grossièrement l'intervention de sa rivale.

— Aidez-moi à la remettre debout! s'interpose Marielle.

— Ça va, je peux me relever toute seule.

Les trois paires d'yeux sont toujours fixées sur moi, mais les trois regards sont différents: celui de Marielle m'intime silencieusement de ne rien dire, celui d'Angélique est rempli de questions, et celui de l'homme qui l'accompagne est… rieur?

— Quelque chose vous fait rire, monsieur?

— Vous avez un morceau de feuille morte collée sur la joue.

— C'est effectivement hilarant.

— Désolé. Je suis Jean-Simon Pellerin, détective. Et vous êtes…?

— Pâle. Venez donc vous asseoir, mademoiselle, m'ordonne ma cliente.

— Tu appelles ta nièce « mademoiselle » ? réplique Angélique. Ça devient vraiment ridicule.

— Je ne suis pas sa nièce. Je suis là pour aider madame Denoncourt à remporter l'héritage. Je m'appelle Emma et je suis médium.

J'ignore le regard courroucé de ma cliente et celui carrément hilare du Grand Baveux et m'adresse directement à Angélique.

— Croyez-le ou non, Louis-Joseph Denoncourt m'utilise pour transmettre des messages.

— Je vous crois. Louis-Joseph était un fervent amateur de surnaturel et nous avons déjà consulté des voyantes ensemble, alors je ne suis pas étonnée.

Moi, je le suis un peu. Mais je me sens surtout terriblement déçue de ne pas avoir la cliente la plus agréable des deux. Le Grand Baveux ne la mérite pas, j'en mettrais ma main au feu.

— C'est le souvenir de la feuille qui vous fait rire ?

— Non, c'est... médium. Pfff !

Pas le temps de répliquer, Louis-Joseph décide encore une fois d'entrer sans prévenir. Et re-boum.

— Elle n'est pas solide, votre médium ! rigole Jean-Simon.

— Chut, vous voyez bien qu'il se passe quelque chose ! rétorque Angélique. Laissons-la avoir sa vision.

— Comme vous voulez, mais je miserais plutôt sur une légère hypoglycémie, si vous me demandez mon avis.

Je les entends à peine, concentrée sur ce que Louis-Joseph essaie de me montrer.

— Pomme, bière, salsa (la sauce, pas la danse) et... secret ?

Silence. Personne ne réagit. J'ai bien fait de rester par terre, Louis-Joseph n'avait pas fini, on dirait.

— Ce n'était pas terminé, j'ai une autre série. Pomme (encore pomme ?), limousine, édifice, cowboy, amertume.

— Vous attendez qu'on complète la suite ? Qu'on joue à quel élément n'est pas de la même famille ? s'enquiert le détective, narquois.

— Mon mari lui montre des images et elle doit deviner de quoi il s'agit.

— Pas « elle » doit deviner, « vous » devez interpréter ! C'est à vous qu'il s'adresse, pas à moi.

Me revoilà prise pour expliquer comment tout ça fonctionne. Angélique m'écoute avec attention et réagit instantanément.

— Je sais de quoi il parle, en tout cas pour la première série. C'est probablement New York, une ville merveilleuse qu'on adorait tous les deux et où Louis-Joseph m'a souvent emmenée. Alors, si tous ces mots ont un lien, je dirais que « bière » fait référence à notre pub préféré sur la 6ᵉ Avenue, et « salsa » à l'adorable petit resto mexicain situé non loin de là, où Louis-Joseph et moi mangions toujours.

— Et « secret » ? questionne Marielle Denoncourt, avec une monumentale dose de rancœur.

— Probablement une référence à nos fréquentes visites chez Victoria's Secret, le magasin de lingerie, répond Angélique du tac au tac.

Le coup porte et Marielle s'apprête à répliquer vertement lorsque le Grand Baveux l'interrompt dans son élan.

— Et la deuxième série ? Pomme, limousine, édifice, cowboy, amertume ? C'est pour vous aussi ?

— Non, c'est pour moi, marmonne Marielle. Partons, mademoiselle.

Elle m'attrape par le bras, me force à me relever et se dirige résolument vers le sentier qui nous ramènera au stationnement. Angélique me retient.

— Est-ce que Louis-Joseph avait un autre message pour moi ? demande-t-elle, un rien implorante.

— Désolée, mais non. Je dois absolument partir avant que ma cliente ne disparaisse de mon champ de vision. Je vous donne tout de même ma carte, si vous voulez me contacter. Une fois que cette histoire sera résolue, évidemment.

Je quitte précipitamment les lieux avant de céder à la tentation : dire adieu à la cliente antipathique qui ne me croit qu'à moitié, et poursuivre la quête avec la gentille dame qui me fixe, les yeux pleins d'espoir. En plus de travailler avec quelqu'un qui le mérite, devinez l'autre avantage que j'en tirerais ? Eh oui, faire disparaître le détective. Bon, d'accord, il est assez mignon dans son genre. Qui n'est pas le mien. Trop grand, look pas suffisamment intello, cheveux trop pâles. Et cette barbe de trois jours, un vrai cliché. Quoi encore, il va nous sortir un imperméable beige et un chapeau ?

Arrêtez de penser si fort, chers lecteurs, je vous entends d'ici. « Aha ! Elle le déteste maintenant, mais sous peu elle va lui tomber dans les bras, c'est tellement prévisible ». Je ne pense pas, non. J'ai déjà un monsieur qui prend toute la place dans mon cœur, alors allez appliquer vos théories romantico-quétaines à quelqu'un d'autre. Merci.

Je vais même vous faire une prédiction : avant la fin de cette aventure, le Grand Baveux va me demander s'il y a des morts qui veulent entrer en contact avec lui. Les sceptiques purs et durs le font tous. J'ai longtemps cherché pourquoi, et je pense avoir trouvé la réponse : par définition, les sceptiques sont des gens qui remettent en question l'ordre établi. Si l'ordre établi est qu'ils ne croient pas aux médiums, ils n'ont pas d'autres choix que d'essayer de se prouver qu'ils ont tort.

JEAN-SIMON
Pfff

C'est pas possible comme les gens sont crédules. La médium aurait pu dire n'importe quoi, ma cliente aurait trouvé une explication logique. Poivre? «Louis-Joseph aimait le poivre»! Grelot? «On s'est rencontrés deux mois avant Noël»! Alors, bien entendu, la pomme signifie New York. Elle est futée, cette fille. Utiliser des références auxquelles tout le monde ou presque peut s'identifier, surtout rien de trop précis. Si elle n'avait pas associé «bière» à un pub qu'elle fréquentait avec son amant, Angélique aurait probablement songé à autre chose, une bouteille de bière cassée dans une ruelle, la boisson préférée de Louis-Joseph, n'importe quoi.

— Je crois savoir ce que vous pensez, monsieur Pellerin. Mais si ça ne vous dérange pas trop, je préférerais ne pas avoir ce genre de discussion avec vous. Emma nous a mis sur une piste, et j'aimerais vraiment la suivre, d'accord?

— Piste? Quelle piste? New York, c'est grand.

— Mais elle a aussi mentionné le pub et le restaurant mexicain. On pourrait commencer par là, et on verra après. Pensez-vous que c'est une bonne idée?

— D'accord. Vous aimez les restos mexicains, on dirait.

— C'était une tradition pour Loulou et moi, à cause de notre première soirée ensemble.

Loulou? Pauvre homme.

42

— Alors, vous m'accompagnez à New York ou pas? S'il vous plaît!

— Quand vous voulez!

Ce n'est pas moi qui vais m'y opposer. Un voyage à New York toutes dépenses payées? Merci beaucoup.

Généralement, les enquêtes qu'on me soumet sont plutôt locales, j'ai rarement à m'éloigner du grand Montréal. Le plus loin où je suis allé, c'est à Saint-Malachie, pour résoudre une histoire de truites volées. Je vous épargne les détails sordides.

Si on se fie à la liste de mots de l'épouse, elle doit elle aussi se rendre à New York. Bien content que ses soi-disant indices soient différents des nôtres. Aucune envie d'avoir la médium dans les pattes, surtout en voyant les points qu'elle a marqués auprès de ma cliente. Une chance qu'elle semble avoir une conscience professionnelle, sinon elle aurait pu me voler Angélique dans le temps de le dire. Conscience professionnelle, ou montant substantiel promis par madame Denoncourt? Ça reste à voir. De toute façon, je vais devoir m'assurer que mes services demeurent justifiés.

De fait… une question n'a pas été résolue.

— Et le nez cassé?

— Pardon?

— Selon le message de la piñata, on devait aller à l'endroit où vous avez cassé le nez de monsieur Denoncourt. Vous ne m'avez toujours pas dit ce qui s'était passé.

— Oh, rien de bien grave. Louis-Joseph ne voulait pas laisser sa femme, je lui ai décoché un coup droit d'enfer, c'est parti tout seul. Heureusement, Loulou l'a pris en riant.

L'enquête promet d'être divertissante. Il faudrait juste qu'elle arrête de dire sans arrêt son prénom (et maintenant son surnom).

Je rentre chez moi préparer un sac de voyage. Angélique tient à ce que nous partions dès demain matin. Comme elle n'ose pas trop dépenser l'argent qu'elle n'est pas certaine d'obtenir en héritage, elle a décidé d'y aller en voiture, ce qui m'arrange assez. L'avion et moi ne faisons pas très bon ménage.

JOUR 2 – Direction New York

EMMA
C'est comme se faire arracher une dent

Je suis bien contente que nous prenions l'avion. La perspective d'un trajet de sept ou huit heures en voiture avec madame Denoncourt comme compagne n'est pas très attirante. En plus des avantages de sa rapidité, l'avion propose des distractions telles que nouvelles réchauffées, films, musique et journaux, autant de façons d'éviter d'avoir à faire la conversation trop longtemps.

Si nous sommes ici, c'est pour une raison bien précise, alors nous devons tout de même discuter de la dernière intervention de Louis-Joseph, que ça nous plaise ou non. Je consulte mes notes.

— Nous avons donc pomme, limousine, édifice, cowboy et amertume. Nous savons déjà que pomme fait référence à New York. Les autres?

— Il a mentionné limousine pour se payer ma tête encore une fois. J'ai toujours refusé d'utiliser les transports en commun, j'exigeais plutôt d'être conduite en limousine.

— Vous auriez pu prendre un taxi, il y a des *yellow cabs* à profusion, dans cette ville!

— Vous m'écoutez quand je parle? Pas de transport en commun. Avez-vous la moindre idée du nombre de personnes qui utilisent les taxis tous les jours? C'est absolument répugnant.

— Un peu comme les bancs d'avion.

Oh le joli regard courroucé! J'adore ça. Je reprends néanmoins le fil de la conversation.

— Édifice?

— En fait, il s'agit d'une personne, Eddy fils, une petite blague que nous avions entre nous.

Ils avaient une blague entre eux? Nooooooooon!

— C'était un potentiel associé de Louis-Joseph que nous avions rencontré à New York, Edward Porter Junior. Nous l'appelions Eddy fils. Il est mort l'an dernier, l'association ne s'est jamais concrétisée, alors je ne vois pas ce qu'il vient faire dans la liste.

— Peut-être parce que c'est un beau souvenir pour votre mari, le fait que vous ayez eu du plaisir ensemble avec ce jeu de mots?

— C'est ça, oui. Alors voilà, vous avez tout.

— Mais non, vous ne m'avez pas parlé du cowboy ni de l'amertume.

— Comment voulez-vous que l'amertume soit une piste? C'est un état d'esprit, pas une destination. Louis-Joseph me reprochait toujours d'être amère, il a utilisé cette occasion pour me le remettre sur le nez.

— Bon, admettons que ce soit le cas. Il nous reste donc le cowboy.

— Il n'y a rien à dire sur le cowboy.

— Vous vous rendez compte que nous n'avons aucune piste valable, en ce moment? Des centaines de limousines dans toute la ville, et un homme mort depuis un an. Je dois insister: parlez-moi du cowboy.

— Non.

Cette femme m'irrite au plus haut point. Elle sait très bien que je ne peux pas la forcer et elle en profite pleinement. Eh bien, tant pis, l'enquête n'avancera pas. Et tant que l'enquête n'avancera pas, je pourrai en profiter pour visiter la ville de mon côté. Donc, fin de la discussion jusqu'à ce qu'elle accepte de cracher le morceau.

Nouvelles de la veille? Journal? Musique? Musique. Ça me permettra de m'isoler complètement. L'une des grandes surprises

depuis que je suis audelàienne, c'est que les esprits sont généralement assez respectueux de ma vie. Ils ne se manifestent pas si je me
trouve dans une situation où j'ai besoin de toute ma concentration,
par exemple lorsque je conduis, que je marche, que je fais du sport
ou même simplement lorsque je suis en pleine conversation. Le
plus souvent, ils attendent que j'ouvre les portes de mon esprit, ou
encore que je sois assise à ne rien faire. Je l'ai appris à mes dépens
lors de mon premier voyage en avion. Placée au beau milieu de l'appareil, j'ai été littéralement assaillie par des esprits qui souhaitaient
communiquer avec mes voisins de siège. C'était le chaos total!

J'ai dû leur faire comprendre que non, ce n'était pas le moment,
et que non, je n'allais pas aborder le passager du siège 8F pour lui
dire que son père était fier de lui. Néanmoins, je comprends la
méprise des esprits: «Emma ne fait strictement rien pour l'instant,
et un être à qui je veux parler se trouve à moins de cinq mètres
d'elle. C'est maintenant ou jamais!». Mais ça ne peut pas fonction-
ner comme ça. Il faut que l'être en question vienne à moi pour que
je lui dise ce qui se passe en haut, pas le contraire! Sinon, vous imaginez la scène? «Bonjour, vous ne me connaissez pas, mais votre
grand-mère décédée depuis douze ans fait dire que vous devriez
arrêter de boire».

Si j'écoute de la musique, les esprits comprendront qu'il ne faut
pas me déranger. En fait, le seul esprit mal élevé que j'ai rencontré,
c'est Louis-Joseph. Il s'est déjà pointé deux fois sans crier gare… et
voici la troisième. Ah, tiens, la suite devrait être intéressante.

— Euh, madame Denoncourt?

— Ça ne peut pas attendre? Je lis le journal.

— Je sais, je peux le voir, mais c'est que votre mari est ici.

— Dans l'avion?

— Si on veut. Il a un message à vous transmettre. Vous
m'écoutez?

— Bon, d'accord, dit-elle avec toute la mauvaise volonté du
monde.

— Il me montre encore le cowboy. Et aussi une bière. Et un… soulier rouge? Mais j'ai vraiment l'impression qu'on parle de deux événements distincts, comme si votre mari vous donnait le choix.

L'expression de Marielle en dit long: c'est une bonne chose pour lui qu'il soit déjà mort. Il est génial, cet homme.

— Il y a quelques années, mon mari et moi marchions dans Time Square et nous avons vu le *Naked Cowboy*. Vous savez de qui il s'agit? C'est cette espèce d'énergumène qui joue de la guitare vêtu uniquement d'un chapeau, de bottes et d'un slip. Il semblerait qu'il est là beau temps mauvais temps, et les gens paient pour sa prestation ou pour se faire prendre en photo avec lui. C'est l'être le plus ridicule que j'ai vu de toute ma vie. Sachant que ça m'enragerait au plus haut point, Louis-Joseph a invité le Cowboy à prendre un verre avec nous dans un pub. Il lui a promis de la bière, le repas et une très généreuse compensation pour sa soirée, alors l'homme a accepté.

— Je ne comprends pas où est le problème. Pourquoi avoir voulu garder ça secret? Ça n'a rien d'humiliant pour vous!

— Parce que passer une soirée avec un homme en sous-vêtements dans un endroit public n'est pas humiliant?

— Vous auriez pu partir!

— Pour aller où? Je n'avais ni argent ni carte de crédit sur moi, et je n'allais certainement pas marcher jusqu'à l'hôtel.

Nous avons notre piste. Comme je commence à connaître Louis-Joseph, je ne serais pas étonnée qu'il nous envoie au pub qu'il fréquentait en compagnie d'Angélique, avec l'espoir que les deux femmes se croisent et s'affrontent à nouveau. Qui a dit que les esprits étaient des êtres de lumière gentils et sereins? Être de lumière non, mais brillant, ça oui! Visiblement, le soulier rouge fait référence à un événement que madame Denoncourt tient encore moins à révéler. En lui proposant ces deux choix, son mari était certain de faire débloquer nos démarches. *High five,* Louis-Joseph! Bien joué!

JEAN-SIMON
Aaah! les femmes

Angélique s'avère une compagne de voyage divertissante et agréable. Elle me laisse conduire, décider des moments où nous nous arrêtons pour les pauses-pipi ou les repas, choisir la musique que nous écoutons.

— C'est vous la cliente, ne devriez-vous pas diriger les opérations?

— Oh, vous savez, ça ne fait pas de différence pour moi. J'ai toujours cru que les gens qui prennent spontanément des décisions le font pour les bonnes raisons et savent de quoi ils parlent. En plus, ça me permet de voir de nouvelles choses que je ne découvrirais jamais, sinon. Je m'en remets à vous, et si quelque chose ne me convient pas, je vous ferai signe.

Le point de vue se défend. Et il est rafraîchissant d'entendre une femme reconnaître qu'elle aime voir un homme prendre parfois les décisions pour elle. Les filles que je fréquente se couperaient la langue plutôt que d'admettre une chose pareille.

Qu'est-ce qu'elles ont toutes, d'ailleurs, à monter aux barricades chaque fois qu'un homme a l'audace de leur donner des directives? Alors que nous, il faut accepter sans rechigner qu'elles nous disent quoi porter, comment parler, où placer les casseroles dans le lave-vaisselle, ou encore combien de bières on peut prendre dans une soirée. Libération de la femme, je veux bien, mais il faudrait qu'on en revienne, un moment donné. L'objectif était l'égalité, non ? Au fait, ça ne m'étonnerait pas que la médium soit une de ces enragées de la condition féminine.

Alors que nous sommes à quelques kilomètres de la ville de New York, Angélique m'interrompt dans mes pensées.

— Dites, Jean-Simon, vous avez une copine ?

— Non, pas en ce moment.

— Vous êtes mignon, charmant et élégant, vous devez toutes les faire craquer ! À ce sujet, Emma est plutôt jolie, non ?

— Pas mon genre.

— Quel serait votre genre, alors ?

— Quelqu'un qui ne prétend pas parler avec les esprits.

— Je sais qu'il existe tout plein d'escrocs dans le domaine. Pourtant, j'ai tendance à croire qu'elle dit la vérité, parce qu'il y a quelque chose de très vrai, de très humain chez cette fille. Vous ne trouvez pas ?

— Mmm-mm.

— Oh, je sais bien que vous n'y croyez pas, mais c'est quand même grâce à elle si votre enquête peut se poursuivre. Ce serait gentil de démontrer au moins un peu de reconnaissance, non ?

— Mmm-mm.

— Je me demande si elle en sait plus que ce qu'elle nous en a dit sur le mont Royal.

— Elle vous a donné sa carte, demandez-le-lui !

— Elle me l'a donnée pour après l'enquête, je ne vais pas l'appeler maintenant, Marielle risquerait de la virer si elle l'apprenait.

— Vous me surprenez, Angélique, j'aurais cru que vous voudriez mettre des bâtons dans les roues de madame Denoncourt.

— Elle est probablement l'être le plus désagréable que j'ai rencontré dans ma vie. Toutefois, j'ai contribué à la rendre cocue pendant des années, alors la moindre des choses serait de jouer franc jeu. Ça ne rachètera certainement pas mes fautes, mais je n'ai pas besoin d'ajouter à ma culpabilité en trichant, vous ne croyez pas ?

Typiquement féminin. Je ne dis pas que toutes les femmes sont comme ça, sauf que je ne connais pas un seul homme qui se préoccuperait de ce genre de truc. En tout cas, moi, quand je suis en compétition avec quelqu'un, je considère que tous les coups sont permis, que ce soit dans le sport, en affaires ou en amour. Ma dernière copine, je l'ai arrachée des bras d'un ami. Pas un meilleur ami, mais un ami quand même. Je l'ai vue, je l'ai voulue, je l'ai eue. Il a mis six mois à s'en remettre, puis deux mois à la reconquérir à mon insu. Je ne lui en ai pas tenu rigueur, après tout, c'était de bonne guerre. En plus, ça nous a permis de redevenir amis.

Pour un non-initié, entrer dans la ville de New York n'est pas une mince affaire, alors Angélique me laisse me concentrer sur la conduite tout en me donnant de brèves suggestions.

Je me demande si nos concurrentes sont déjà arrivées et, surtout, si elles ont découvert un nouvel indice…

JOUR 2 – New York

EMMA
La grosse pomme luxueuse

Je ne suis pas venue à New York depuis plusieurs années. J'avais oublié à quel point cette ville est géniale et énergisante. C'est ma première visite l'automne, Central Park devrait être magnifique demain, mais pour l'instant, il fait trop noir pour voir quoi que ce soit.

Marielle Denoncourt est pleine de défauts, je ne vous apprends rien. Par contre, sur le plan de l'organisation, chapeau! Une limousine nous attendait à l'aéroport pour nous conduire au Waldorf Astoria, un hôtel que je croyais ne jamais voir, à part dans les films. Je suis à New York! Au Waldorf Astoria! Et ça ne me coûtera pas un rond! Et on annonce une belle journée ensoleillée et chaude demain! Et je me tape sur les nerfs tellement je suis positive! Il faudrait que ça arrête bientôt!

Impressionnée par l'opulence du lobby, je le suis moins par ma chambre. Je me serais attendue à un style plutôt antique-chic que vieux-dépassé. Loin de moi l'idée de me plaindre, je n'aurai sans doute jamais les moyens de me payer une chambre ici. Du moins, pas avec mes revenus de consultante, et surtout pas si je continue de prendre spontanément congé comme je viens de le faire. Il faut dire que le *timing* était idéal: une copine se cherchait justement un contrat, alors je lui ai refilé le mien. C'est beau de voir comment l'univers se met en place quand on en a besoin.

Moi, seule, avec une télé, et du temps pour la regarder? Impossible! Ça n'arrive jamais. La plupart de mes clients me visitent le soir, et bien souvent les derniers quittent mon appartement vers les 22 heures. Alors, à part le téléjournal sur lequel j'ai l'habitude de m'endormir, je ne télévise pas beaucoup. Plusieurs personnes m'ont parlé d'une émission américaine dans laquelle une médium communique avec des fantômes, je devrais essayer de la trouver, ça pourrait être drôle.

Je zappe allègrement à travers la centaine de chaînes auxquelles j'ai accès quand mon attention est attirée par un nom que j'ai déjà entendu. Il est prononcé par un monsieur qui se prend au sérieux avec son micro et qui se trouve devant les portes du *Museum of Modern Art*, MoMA de son petit nom. J'arrive au milieu du reportage, mais je comprends qu'il est question d'une nouvelle exposition débutant le lendemain et présentant des œuvres de la collection privée d'un prospère homme d'affaires new-yorkais décédé l'an dernier. Je vous laisse un moment pour deviner son nom. Vous y êtes? Eh oui! Edward Porter Junior lui-même, mieux connu sous le surnom d'Eddy fils. Je crois que nous avons une autre piste.

JEAN-SIMON
Cuisinons l'adversaire

Jusqu'à maintenant, on ne peut pas dire que je sois très utile à l'enquête. Heureusement, Angélique ne semble pas s'en formaliser. Entre nous, je crois que ce qu'elle veut par-dessus tout, c'est de la compagnie, et quelqu'un pour répondre à ses incessantes questions. Elle nous a réservé des chambres dans un vieil hôtel de la 57ᵉ Rue qui sent le moisi (l'hôtel, pas la 57ᵉ Rue). Comme j'ai quartier libre pour la soirée, je sors prendre l'air et explorer les environs.

Les rues numérotées dans un sens, les avenues numérotées dans l'autre, New York est en théorie la ville la plus simple dans laquelle naviguer. Pourtant, j'arrive toujours à m'y égarer. Je ne sais pas pourquoi, mon sens de l'orientation m'abandonne lorsque je suis ici. J'en étais justement à me demander si je ne tournais pas en rond quand, surprise surprise, j'arrive face à face avec la médium. « Tiens donc », dit-elle.

Plutôt difficile de l'ignorer dans les circonstances, nous sommes pratiquement les seuls à cet endroit. De toute façon, c'est l'occasion rêvée d'en apprendre un peu plus sur ce qui se passe de l'autre côté de l'enquête. Soyons amical, laissons tomber le vouvoiement pompeux.

— Tiens donc, en effet. Où tu vas, comme ça ?

— Je marche. Incapable de rester en place. Je pensais passer la soirée devant la télé, mais finalement… incapable de rester en place.

— Trop de fantômes qui te parlent?

— Quelque chose comme ça, oui. Et toi? Tu fais quoi?

— Je marche.

— Super.

— Ouais.

— Hey, c'est vraiment passionnant comme conversation, mais je vais y aller, moi, je suis fatiguée.

— Bravo pour la persévérance, en tout cas!

— Qu'est-ce que tu veux dire par là?

— Je veux dire que tu n'es pas très patiente. On se connaît seulement depuis hier, et parce qu'on a du mal à démarrer la conversation, tu te sauves?

— Si t'as des choses intelligentes à dire, vas-y! Je t'écoute.

— Ici, au coin d'une rue pas rapport? On ne pourrait pas aller prendre un café, plutôt?

— Pourquoi?

— Comment pourquoi? Pour jaser, pour apprendre à se connaître!

J'attends qu'elle ait évacué son dernier soubresaut de fou rire pour poursuivre.

— C'est terminé?

— Désolée, mais t'es vraiment mauvais comédien. T'essayais d'avoir l'air innocent et amical, et tout ce que tu as réussi à faire, c'est d'avoir l'air d'un zouf lubrique. Ce que tu veux, dans le fond, c'est me cuisiner discrètement pour savoir si j'ai des informations que tu n'as pas pour l'enquête. Je me trompe?

— Tu ne te trompes pas.

— Alors, si ça ne te dérange pas trop, je continue ma promenade. Bonne soirée!

— C'est ça, oui.

Merde, quel con je fais.

— Emma, attends!

— Oui?

— T'as raison, c'était stupide de ma part de penser que je pouvais te rouler.

— Alors, demande-le gentiment.

— Quoi ça ?

— Demande-moi gentiment de partager mes informations avec toi, parce que tu n'as aucune piste et que même si tu te moques de mon métier de médium, tu sais très bien que j'avance plus vite que toi dans l'enquête et que si on unit nos efforts on risque d'accélérer le dénouement.

— Je ne peux pas faire ça ! Si Angélique savait que je travaille avec l'ennemi, elle me virerait !

— Et Marielle donc ! Mais si tu veux mon avis, on est encore loin du gros lot. Connaissant Louis-Joseph Denoncourt comme je commence à le connaître, il n'a pas fini d'en faire baver à nos clientes.

— Dis-moi donc une chose : pourquoi tu veux collaborer ? C'est toi qui as le gros bout du bâton, en ce moment, t'as pas besoin de moi !

— Honnêtement ? C'est la première fois que je joue à la détective, et j'ai besoin d'apprendre. Habituellement, lorsque j'ai des visions, je les transmets à mes clients et ils partent avec, ce n'est pas moi qui les interprète ou qui les utilise. Ton expérience pourrait m'être utile.

— Café ?

— Café.

EMMA
On dirait que ça se corse

Quel revirement intéressant! Une collaboration avec le Grand Baveux, qui l'aurait cru? Nous entrons chez Giambelli, un petit resto italien sympa sur la 50ᵉ Est. Café pour monsieur, tiramisu pour moi.

J'en profite pour observer Jean-Simon. C'est la première fois que j'en ai vraiment l'occasion, et dans le genre beau bonhomme, j'ai vu pire. Il aurait avantage à laisser pousser un peu ses cheveux, mais sinon, il n'est pas désagréable à regarder. Ce qui saute aux yeux cependant, c'est qu'il a incontestablement la physionomie d'un détective. Je me demande si ça l'aide dans son travail, ou si ça lui nuit. J'imagine que ça doit dépendre des clients. N'ayant moi-même pas du tout la gueule de l'emploi, j'ai constaté que les avis sont partagés : certains clients, s'attendant à rencontrer une médium excentrique comme on en voit dans les films, ont davantage besoin d'être convaincus de mon don, alors qu'au contraire, d'autres me font spontanément confiance parce que j'ai l'air d'une vraie personne et non d'une caricature. Je devrais lui poser la question. Sauf que s'il est fier de son look de détective frenchable, il va le prendre comme un compliment, alors je m'abstiens.

— Dis donc, Emma, je peux te poser une question?

— Tu veux savoir s'il y a des morts qui aimeraient entrer en contact avec toi.

— Comment tu le sais?

— J'ai l'habitude.

Vous commencez à me connaître... me trouvez-vous désabusée? Je me trouve désabusée. Les gens sont tellement prévisibles. Qu'est-ce que je vous ai dit il n'y a pas si longtemps? Qu'avant la fin de l'aventure, Jean-Simon me demanderait si des morts voulaient lui parler.

— Quelqu'un en particulier?

— Non, je veux juste savoir qui est supposément... là?

— OK, donne-moi une minute pour voir si quelqu'un se manifeste.

L'envie de le niaiser solidement me traverse l'esprit, mais je ne le ferai pas. Pas parce que je suis particulièrement gentille. C'est surtout que je n'exagérais pas quand je disais avoir besoin de son aide. Ah, tiens, une présence. Je suis parcourue d'un grand frisson, puis j'ouvre les yeux.

— Qu'est-ce que tu vois?

— Un homme, grand et bâti. Il a des yeux bleus très clairs et porte des bretelles. Il a une barbe qui lui descend pratiquement jusqu'au ventre.

— Mon grand-père.

— Il est accompagné par un chat avec des castagnettes. As-tu déjà eu une chatte espagnole?

— C'était un chat de gouttière, je ne sais pas si...

— Est-ce qu'elle s'appelait Chocolat? Cacao? *Chipits*? Ton grand-père me montre un sac de pépites de chocolat. Et... une boîte de médicaments contre les allergies. Tu étais allergique?

Je constate qu'il est soufflé. Je peux pratiquement lire dans ses pensées: «Comment peut-elle détenir ces informations-là?». Pour tout vous dire, j'adore ce moment où je sens que les gens basculent de l'incrédulité vers la crédulité. Il y a un déclic qui se fait, un changement à peine perceptible dans l'expression faciale, mais leurs yeux s'ouvrent un peu plus grand, et leur regard dit clairement qu'ils ont compris que ce n'était peut-être pas du caca de taureau.

— Son prénom était Pepita. Et son nom complet Pepita Allegra.

— Elle avait un nom de famille ?

— Oui. J'étais effectivement allergique, alors je lui ai donné le nom d'une marque d'antihistaminiques.

Je résiste à l'envie de me moquer de lui, ce serait trop facile. Monsieur dur-à-cuir-rien-ne-m'atteint s'est laissé attendrir par un chat. C'est *cute*.

— On peut changer de sujet, maintenant ?

— On peut. Mais ton grand-père voulait que tu saches qu'elle est avec lui.

— Tant mieux pour elle.

Le retour du macho ? N'en croyez rien. J'ai vu son menton trembler quand il a dit ça. Mais — ciel que je suis agréable ce soir — je laisse passer et regarde par la fenêtre pour lui donner le temps de se recomposer une expression baveuse.

Wouhaa ! Je n'en reviens pas, je viens de voir passer quelqu'un que je connais, ici, à New York ! Tous en chœur on dit : le monde est p'tit !

— Regarde par la fenêtre. Tu vois la fille de l'autre côté de la rue ? C'est Anne, une voisine. On a fait la deuxième ensemble, elle était mon général. Mais on s'est connues à Machu, juste après sa première rencontre avec Jean-Philippe, son copain, quand ils étaient tous les deux prêtres du temple du Soleil. Sans contredit les deux plus beaux hommes du village.

— Wow, ralentis, mais de quoi tu parles ? Général ? Temple ? Deux plus beaux hommes ?

— Anne était un homme, à l'époque.

— Tu veux dire qu'elle a eu un changement de sexe ?

— Mais non, idiot! Est-ce que je vais devoir te donner un cours en réincarnation ou quoi?

— En réinc…?

— Tu ne crois quand même pas qu'on garde le même corps et le même sexe d'une vie à l'autre?

— T'es en train de me dire que j'ai déjà été une femme?

— Plusieurs femmes, sans doute, mais pas suffisamment, si tu veux mon avis. Autrement, tu aurais plus de jugeote.

— Très drôle. OK, donne-moi quelques minutes pour digérer tout ça.

Le serveur vient reprendre mon assiette vide et resservir du café à Jean-Simon. Mais il ne pourra jamais dormir, le pauvre!

— Bon, admettons que ta théorie de fous sur la réincarnation soit vraie. Si je comprends bien, c'est possible de retrouver des gens qu'on a connus dans une autre vie?

— Bien entendu! Si on considère que la plupart des gens peuvent vivre jusqu'à mille vies, les chances sont bonnes de recroiser les mêmes personnes, surtout qu'on peut choisir certaines des âmes qu'on revoit d'une vie à l'autre.

— Je ne peux pas croire que je te pose cette question-là, mais ce serait quoi le but de reprendre chaque fois à zéro avec des âmes qu'on connaît?

— Justement, ce n'est pas à recommencer chaque fois. Pense aux gens que tu as rencontrés et avec qui ça a cliqué tout de suite, si bien que tu avais l'impression de déjà les connaître. Tu plonges ton regard dans le leur et il y a une reconnaissance, ça te dit quelque chose?

— Mouais, je vois un peu ce que tu veux dire. Genre lorsque tu détestes spontanément quelqu'un sans savoir pourquoi.

— Ben voilà! Ça m'étonne quand même que tu ne saches pas ça. Que tu n'y croies pas passe encore, moi-même j'avais autrefois de sérieux doutes, mais que tu n'en connaisses pas plus que ça sur les principes de la réincarnation, c'est surprenant pour un gars qui a l'air relativement informé. J'ai lu quelque part qu'environ vingt-cinq pour cent de la population mondiale y croit, c'est quand même pas rien.

— Bah. Comme je trouve que ce sont des histoires de bonne femme, j'ai jamais vraiment porté attention. Même en ce moment, j'écoute à peine ce que tu racontes. De toute façon, il faut être profondément débile pour y croire.

Gentil, curieux et ouvert une minute, méchant et insultant la suivante, pourquoi ce revirement?

— Bon bon bon. J'ai touché une corde sensible en parlant de ton chat, et maintenant il faut que tu construises un mur de protection, c'est ça?

— Médium passe encore, mais ta psychanalyse bas de gamme, tu peux la garder pour toi.

— Mon cher, tu es la preuve vivante que la réincarnation existe. Il serait impossible de devenir aussi con en une seule vie.

Sur ces paroles psychologiquement ébranlantes, je me lève pour faire une sortie théâtrale et fonce vers la porte avec l'intention de l'ouvrir à la volée et de disparaître de sa vue. Malheureusement, un groupe de touristes entre à ce moment précis et je dois les laisser passer. Sentant le regard narquois de Jean-Simon posé sur moi, je prends un air «ah, justement, ça tombe bien, j'avais oublié…», je retourne sur mes pas, me penche à son oreille et murmure: «Pour l'enquête, tu peux aller te faire foutre.»

JEAN-SIMON
N'importe quoi

Quel con je fais. Décidément, c'est ma soirée. Je ne sais pas ce qui m'a pris de l'insulter comme ça. Même moi, je peux voir que c'était complètement déplacé et injustifié.

Il faut dire qu'elle m'a secoué en me parlant de Pepita Allegra. Heureusement que j'ai de bons réflexes, j'ai pu me tourner avant qu'Emma ne voie que j'étais ému. Foutue médium de mes deux. Cette idée de me parler de ma chatte qui vient à peine de mourir. En tout cas, si l'objectif était de me prouver qu'elle n'est pas une arnaqueuse, c'est un peu réussi.

Pourtant, ça va à l'encontre de mes convictions profondes. Tous ces trucs ésotérico-boboches ne sont qu'un ramassis de conneries. Divination, astrologie, tarot, vies antérieures, surnaturel et autres âneries paranormales ont été créés pour profiter de la naïveté des imbéciles qui ont besoin de croire à quelque chose pour avancer dans la vie. OK, à go, tous les Sagittaire se sentent tristes, ont besoin d'affection, manquent de stimulation au bureau et devraient miser sur le chiffre 26. N'importe quoi.

N'empêche, ce qui est dommage, c'est qu'avant mon commentaire désobligeant, Emma et moi on allait vers une collaboration qui aurait vraiment pu faire avancer mes recherches. Je me demande si elle est rancunière. Je pourrais subtiliser sa carte de visite à Angélique et l'appeler sur son cellulaire pour m'excuser. Au bénéfice de l'enquête, évidemment.

JOUR 3 – Toujours New York

EMMA
Explosion d'émotions inattendues

Notre première journée complète à New York débute par un petit-déjeuner copieux à l'hôtel. Madame Denoncourt a presque l'air de bonne humeur, sa bouche donne l'impression de lutter contre son cerveau pour arriver à sourire. Je profite de ce moment à la limite du bonheur pour demander à ma cliente comment elle voit la suite des choses.

— Connaissant votre mari, quel endroit devrions-nous visiter en premier, à votre avis?

Pas de réponse. La lutte semble se poursuivre, ses lèvres tremblent.

— Madame Denoncourt, vous m'avez entendue?

Là, l'impossible se produit, l'émotion explose, ma cliente éclate en sanglots. Elle amorce un mouvement pour se lever, regarde furtivement autour d'elle puis se rassoit, constatant sans doute qu'elle risque moins d'attirer l'attention en restant assise qu'en traversant le restaurant. Ses épaules s'affaissent, elle place un coude sur la table, une main sur ses yeux et pleure doucement.

En tant qu'audelàienne, j'ai assisté plus souvent qu'à mon tour à des moments de grande peine. Selon les circonstances, je console mes clients avec un câlin spontané, de gentilles petites tapes dans le dos, ou encore en prenant doucement leur main et en leur murmurant des paroles rassurantes. Dans ce cas-ci, aucun de ces gestes ne me semble approprié. Alors, je me mets à pleurer avec elle.

— Qu'est-ce que vous faites, mademoiselle ?

— Je sympathise.

— Vous ne savez même pas pourquoi je p… je p…

— Pourquoi vous pleurez ? Non, je ne le sais pas. Mais je commence à vous connaître, et je me dis que vous devez avoir une sacrée bonne raison, si vous laissez tomber à ce point-là votre réserve habituelle.

J'ai dit « réserve », je n'ai pas dit « froideur ». Bravo moi pour la diplomatie ! Surtout que mon dernier commentaire déclenche une nouvelle série de larmes. Je lui passe discrètement un mouchoir de papier qui traînait au fond de mon sac à main. Elle ne fait aucun commentaire sur la vieille gomme usagée collée dedans.

— Vous êtes gentille de ne pas me juger. Je sais bien que je ne suis pas toujours… facile.

J'essaie de ne pas m'étouffer. S'il y a une chose dont je suis coupable dans les derniers jours, c'est bien de l'avoir jugée. Une bonne leçon pour moi. D'ailleurs, je me dis depuis un bout de temps déjà que je devrais être plus positive, arrêter de dire du mal des gens. Tiens, je sais : à partir de maintenant, chaque fois que je prononcerai un commentaire négatif, je tempérerai avec un commentaire gentil. Je vais appeler ça de l'équilibrage positif. Ah, encore bravo moi ! Quelle bonne idée. Ma cliente poursuit :

— Je ne sais pas si vous pouvez comprendre ce que c'est de se trouver coincée dans une façon d'agir qui ne vous convient pas vraiment. J'ai déjà été heureuse, insouciante, souriante. Puis je me suis créé une carapace, et je n'ai plus jamais réussi à en sortir. C'est la première fois que je pleure depuis le décès de mon époux.

— Qu'est-ce qui a déclenché les larmes ?

— Ma fille Julianne vient de me téléphoner, je vais être grand-mère.

— Alors ce sont des larmes de joie ?

Nouvelle crise de sanglots. Nos serviettes de table ayant déjà été utilisées, je cours à la salle de bain et lui rapporte un petit tas de papier de toilette. Pas chic, mais mieux que rien.

— Julianne ne veut pas que je fasse partie de la vie de son enfant.

— Elle vous a téléphoné pour vous dire ça ?

— En gros, elle a dit : « Je t'appelle pour t'annoncer que je suis enceinte. Tu risques de l'apprendre de toute façon, alors je préférais t'avertir que tu n'auras aucun contact avec mon enfant. Je veux qu'il soit entouré d'amour et de joie, je ne veux pas qu'il subisse la même enfance que moi ». Puis elle a raccroché.

La bouffée de sympathie que je ressens me pousse à poser ma main sur la sienne, qu'elle ne retire pas. Tout aussi spontanément, je lance :

— Tout n'est pas perdu, madame Denoncourt. Le simple fait qu'elle vous ait contactée signifie quelque chose. Même si ses mots disent le contraire, je pense sincèrement qu'un rapprochement est possible.

— J'aimerais vous croire.

Mon cellulaire choisit ce moment pour entonner un « Enter Sandman » bien senti. Metallica, dans les circonstances, c'est pas fort.

— Allez-y, répondez, ne vous gênez pas pour moi.

J'ignore la pointe de sarcasme dans sa voix (je suis encore pleine de sympathie) et réponds le plus discrètement possible.

— Allô ?

— Emma ? Je t'entends à peine. C'est Jean-Simon.

— Qui ?

— L'imbécile qui a fait un fou de lui hier soir.

— Ce n'est pas un bon moment.

— On peut se parler plus tard ? J'aimerais vraiment qu'on reparte sur de meilleures bases.

— Je te rappelle.

Lorsque je pose à nouveau mon regard sur madame Denoncourt, le masque de dureté a refait son apparition. Je n'en suis pas étonnée, mais tout de même légèrement déçue. Néanmoins, je sais maintenant que la carapace a des failles, et cette pensée me réconforte. Je me lance un défi: réussir à faire sourire ma cliente avant la fin de l'enquête.

JEAN-SIMON
Nature humaine

Bon, j'ai fait mon bout de chemin, voyons si la médium accepte-ra de me reparler. Je ne m'attends pas à un miracle, les derniers mots sortis de sa bouche hier soir ne laissaient pas beaucoup d'espoir. Je souhaite seulement qu'elle se soit calmée et qu'elle se souvienne qu'on a avantage à travailler ensemble, du moins au début.

Je profite de l'attente pour consulter mes notes. Mouais. Jusqu'à maintenant, je n'ai pas grand-chose à me mettre sous la dent, et beaucoup plus de questions que de faits concrets.

La sonnerie de mon cellulaire me fait sursauter.

— Je n'étais pas certain que tu rappellerais après ce que je t'ai dit hier. J'ai été vraiment con.

— Effectivement, vraiment con. Mais tu fais aussi de beaux efforts pour que nous coopérions.

— Euh… merci. Je crois. Alors, tu me pardonnes?

— C'est beau, c'est déjà oublié. J'ai décidé il y a quelques années que la rancune n'aurait plus de place dans ma vie. Ça vous gruge par en dedans, et ça vous fait perdre un temps fou à être malheureux.

— Belle philosophie, tu me diras comment tu l'appliques, je pourrais en avoir besoin. Alors, on est d'accord pour collaborer?

— Absolument. On peut en discuter ce soir, si tu veux. Aujourd'hui, ma cliente et moi allons visiter certains endroits mentionnés par Louis-Joseph, alors j'aurai sans doute plus d'informations plus tard. Toi aussi, j'imagine ?

— C'est l'objectif de la journée. On se rappelle en fin d'après-midi ?

— Parfait !

Je m'attendais, si Emma rappelait, à une bouderie carabinée ou à des reproches bien nourris, mais pas à ça ! C'est à n'y rien comprendre.

Chose certaine, je vais devoir taire mes opinions sur ses prétendus pouvoirs. Pas question de mettre à nouveau en péril notre collaboration. Pas que j'ai l'intention de profiter de ses supposés talents surnaturels. C'est surtout que je veux m'assurer d'avoir en poche toutes les informations pour que ma cliente (et moi, par le fait même) remporte le magot.

Mon plan de match de la journée : être au pub dès l'ouverture. Je ne sais pas pourquoi, mais je parierais que c'est là qu'on trouvera… quoi au juste ? Voilà mon plus gros problème ! Jusqu'à maintenant, le seul indice qu'Angélique et moi avons trouvé par nous-mêmes est sorti des tripes d'un âne en papier mâché. Le reste nous est venu grâce à la médium. Je demeure convaincu que le chauffeur de Louis-Joseph Denoncourt est intimement impliqué dans ce petit jeu, alors espérons qu'il nous a laissé quelque chose de concret avec quoi travailler. Je n'ai aucune envie de me retrouver à la merci de messages de l'au-delà pour faire avancer l'enquête.

Comme convenu, je rejoins ma cliente à l'entrée de l'hôtel. Elle est là, trépignant d'impatience. J'ai à peine franchi la porte qu'elle a déjà le bras levé pour héler un taxi.

— *Hello, sir ! Please take us to the 879 Taco restaurant on First Avenue.*

— Hein ? On ne va pas au pub ?

— Louis-Joseph et moi allions toujours manger avant d'aller au pub.

— Et alors ?

— Alors il faut respecter l'ordre, parce que même si son image de bon vivant donnait l'impression qu'il vivait impulsivement, Louis-Joseph restait un homme organisé et méthodique. Lorsqu'on était à New York, on prenait un taxi pour aller au restaurant ; il commandait un pichet de sangria pour nous deux, une salade de cactus et une *quesadilla* aux épinards pour moi, et un *burrito* au bœuf pour lui ; après le repas, on marchait jusqu'au pub, où il commandait une vodka-canneberges pour moi et un cognac pour lui ; ensuite, si la température coopérait, on retournait à l'hôtel à pied, toujours en empruntant le même chemin.

— Combien de fois avez-vous suivi ce rituel ?

— On a découvert ce restaurant il y a environ cinq ans, et comme on venait à New York au moins quatre fois par année, je dirais environ vingt fois.

— La routine ne vous dérangeait pas ?

— Pas le moins du monde ! Puisque je menais une vie imprévisible, où il était difficile d'établir des habitudes, j'appréciais ces moments décidés d'avance. De toute façon, la seule fois en cinq ans où j'ai réussi à convaincre Louis-Joseph de faire changement, on a mangé du mauvais poisson au restaurant thaïlandais que j'avais choisi, et on a passé le reste du voyage à en payer le prix. Alors pas besoin de vous dire que je n'ai plus jamais rien suggéré de tel.

— D'accord, allons-y pour le restaurant mexicain. Pourvu que cette fois-ci, l'indice ne se cache pas dans une piñata.

EMMA
Tout nu, le monsieur!

Madame Denoncourt accepte que nous commencions nos recherches au MoMA. J'aurais préféré marcher, après tout le musée est à portée de jambes de l'hôtel, mais la limousine nous attend déjà à l'entrée.

Pendant que la voiture brave la circulation pour se rendre jusqu'à la 53e Rue, je réfléchis au destin. Sans ma séance de télévision imprévue, comment aurions-nous su qu'il fallait nous rendre au Musée? Je veux bien que les esprits me parlent, mais j'ai du mal à croire qu'ils influencent les événements à ce point. Chose certaine, si Louis-Joseph tire les ficelles de là-haut (ou de là-bas, selon le point de vue), il n'y a aucun doute qu'un complice travaille pour lui sur terre. Et si l'indice du Musée ne s'était pas présenté par hasard, il y aurait certainement eu une autre piste pour nous y amener.

— Ah, j'oubliais. Marcel, le chauffeur de mon défunt mari, m'a téléphoné après le petit-déjeuner. Il voulait me suggérer fortement de profiter de ma visite à New York pour voir la nouvelle exposition du MoMA.

— A-ha!

— Plus de doute permis, Marcel est le complice dont nous soupçonnions l'existence. Il doit avoir un plaisir fou, d'ailleurs, ça le tient occupé pendant sa retraite dorée.

— Il ne reste qu'à espérer recevoir une quelconque indication pour la suite des choses.

Trente minutes plus tard, nous sommes toujours à explorer le hall d'entrée pour trouver un signe. Pendant que madame Denoncourt s'attarde à lire un dépliant du Musée, j'observe chaque mètre carré de la pièce, sans succès.

Un professeur d'architecture a dit un jour que les habitants d'une ville n'en connaissent habituellement qu'une partie seulement, parce qu'ils oublient de lever les yeux au-dessus du niveau de la rue. Merci, monsieur le professeur. Une énorme banderole surplombe le hall :

Bitterness — an exploration of the soul's dark side

Traduction : « Amertume — exploration du côté sombre de l'âme ». Tiens donc, amertume. Vous vous souvenez ? Ce mot faisait partie de la liste qui nous a amenées à New York.

Alors que nous nous dirigeons vers l'exposition, ma cliente s'arrête subitement.

— Dites-moi, Emma (elle connaît mon prénom ?), vous m'avez expliqué que les esprits vous montrent des objets pour illustrer leur message. Qu'a utilisé Louis-Joseph pour que vous trouviez le mot amertume ?

— Euh… je ne me souviens plus exactement…

— Allez, répondez-moi franchement.

— Une tasse de café noir. Puis du cacao.

— Et ça vous a suffi ?

— Non. Ensuite il… il vous a pointée. Je suis désolée.

Elle s'est remise à marcher sans faire de commentaire. Le sujet était clos.

Une fois dans la salle d'exposition, l'indice suivant s'impose rapidement : la première œuvre est une sculpture représentant le *Naked Cowboy* grandeur nature. Hum. Subtil. Et nous qui croyions que Louis-Joseph avait mentionné ce charmant personnage pour que nous nous rendions au pub.

Découvrir qu'une enveloppe a été glissée sous l'un des talons de la sculpture ne prend que quelques instants, mais trouver une façon de la subtiliser sans attirer l'attention des gardiens du musée est plus problématique, surtout que des câbles de sécurité ont été placés tout autour de l'œuvre, nous empêchant de l'approcher à moins de deux mètres.

— Madame Denoncourt, quel rôle préférez-vous ? Détourner l'attention du gardien le plus proche, ou vous introduire sous les câbles pour prendre l'enveloppe ?

— Je m'occupe du gardien, faites-moi confiance.

Elle se dirige résolument vers lui, un homme corpulent à l'air malcommode. Comme ma cliente me tourne le dos, je ne peux pas voir son visage. Je n'ai néanmoins aucune peine à imaginer le regard assassin qu'elle lance au pauvre homme lorsqu'elle se met à l'invectiver dans un mélange de français et d'anglais d'où il ressort, en gros, qu'elle est scandalisée par la vulgarité de l'exposition et qu'elle veut se faire rembourser son billet d'entrée. En gesticulant comme une perdue, elle amène adroitement son interlocuteur à se tourner légèrement vers la gauche, l'empêchant de regarder dans ma direction.

Fascinée par la scène, je prends quelques secondes de trop pour me glisser sous le câble, ce qui donne le temps à un autre gardien à la mine encore plus renfrognée de remarquer ma présence et de se mettre à crier dans ma direction. Branle-bas de combat, tout le monde se tourne vers moi. N'écoutant que mon (hum!) courage, j'arrache le document de sous le talon de la sculpture et je me rue vers la sortie. Me pencher pour passer sous le câble aurait été une bonne idée. Étalée de tout mon long, je ne réagis qu'une fois que madame Denoncourt m'aide à me relever. Dieu merci, nos deux poursuivants sont trop massifs pour être rapides. En courant à perdre haleine sur la 53e Rue vers l'ouest, puis vers le nord sur la 6e Avenue, nous arrivons à les semer. C'est qu'elle est en forme, la dame! Bien qu'elle accuse plusieurs décennies de plus que moi, elle arrive sans peine à me suivre, remerciant sans doute intérieurement les passants qui ralentissent sensiblement notre course.

Disparaissant précipitamment dans un café Starbucks, nous nous tapons un fou rire monumental. Ou plutôt je m'en tape un, et madame

Denoncourt m'accompagne par de petits rires saccadés ressemblants au son d'une souris qui éternue. Si je n'étais pas si occupée à rire, j'en pleurerais probablement de joie.

Devant un café bien mérité, ma cliente ouvre l'enveloppe et parcourt la lettre.

Marielle,

Te voilà donc à New York, la ville où nous avons passé de nombreux moments ensemble, jusqu'à ce que tu décides de ne plus m'y accompagner aussi régulièrement, ce que je peux comprendre. Notre mariage n'en était plus un depuis plusieurs années. Pourtant, je n'ai jamais voulu que nous divorcions. T'es-tu déjà demandé pourquoi? Oui, les enfants, bien sûr. Mais au-delà de ces considérations, j'ai choisi de continuer à vivre avec toi plutôt que de faire ma vie avec Angélique. Avant de passer à la prochaine étape, j'aimerais que tu réfléchisses à deux choses: nous étions heureux au début de notre mariage. Que s'est-il passé pour que la sauce se gâte? Et pourquoi ai-je tout de même pris la décision de rester?

Maintenant, rends-toi au pub.

Louis-Joseph

Ah, tiens, le pub quand même. Un petit remontant ne fera pas de tort à madame Denoncourt. Les jolies couleurs qu'elle avait prises en courant et en riant ont quitté son visage empreint de tristesse.

Si Marielle est surprise par le message de Louis-Joseph, elle n'en laisse rien paraître. Cependant, notre trajet vers le pub se déroule dans le silence le plus complet, me portant à croire qu'elle obéit à son défunt mari et qu'elle réfléchit.

La tournure des événements m'étonne, je l'avoue. Je croyais que cette quête originale avait pour but de faire payer Marielle pour des années de mariage difficile, mais il semblerait que son mari avait autre chose en tête.

JEAN-SIMON
Olé (bis)

Je comprends maintenant pourquoi Louis-Joseph et Angélique ont adopté ce restaurant : petit, chaleureux, décor éclectique et délicieuse cuisine, ça tombe parfaitement dans mes goûts. Et la salsa est la meilleure que j'ai goûtée de toute ma vie. Je fais le serment qu'à partir d'aujourd'hui, plus jamais je n'achèterai de salsa poche à l'épicerie. Le serveur a même la gentillesse de me donner en gros la liste d'ingrédients, alors je crois bien m'improviser cuisinier en rentrant à la maison. Les gars vont rire de moi quand on se réunira pour écouter le Super Bowl, mais ils riront moins quand ils auront goûté à mon œuvre.

Un homme qu'Angélique me désigne comme son serveur préféré se présente à la table. Après une pause chargée d'émotion, il étreint ma cliente et lui murmure à l'oreille ce que je suppose être des paroles de réconfort. J'avais tort.

Sans un mot, Angélique quitte la table et se rend dans les cuisines. Elle en ressort avec à la main une enveloppe.

— C'est bien ce qu'on pensait, Marcel est complice de Louis-Joseph. Il est venu pas plus tard qu'hier déposer ceci à mon attention.

Angélique place la lettre de biais sur la table pour que nous puissions la lire tous les deux.

Ma chère Ange,

Te voilà donc à New York, la ville où nous avons vécu de si bons moments ensemble. Avant de passer à la prochaine étape, j'aimerais que tu réfléchisses à quelque chose : à ton avis, pourquoi notre relation fonctionnait-elle si bien telle qu'elle était, moi engagé auprès de ma femme et de mes enfants, toi en apparence libre comme l'air, mais dans la réalité, toujours en attente de notre prochain rendez-vous ? Te connaissant, tu as certainement déjà effleuré la question dans ton esprit, mais tu n'as sans doute pas voulu te pencher trop dessus, de peur d'y découvrir des vérités que tu ne veux pas entendre. C'est le moment ou jamais, ma chérie. Penses-y.
Maintenant, rends-toi au pub.

Louis-Joseph

Quelqu'un peut-il me dire à quoi je sers dans cette histoire ?! Les consignes sont données directement à ma cliente, quand elles ne sont pas transmises par la médium. J'espère vraiment que les choses vont se compliquer bientôt, sinon je sens qu'un retour hâtif à Montréal sera dans mes cartes. Une fois que j'aurai fini de tenter de consoler ma cliente bouleversée, évidemment.

EMMA
Décidément, ça se complique

Surprise! Marcel, le chauffeur de Louis-Joseph, nous attend au pub. Ça promet d'être intéressant. Et pour ajouter encore plus de piquant, Angélique et Jean-Simon arrivent à leur tour.

Je me tourne immédiatement vers ma cliente, guettant une quelconque réaction violente. Mais non! Son visage est calme.

— Ça va? dis-je

— Louis-Joseph m'a choisie. Je vais bien.

J'aimerais dire que son sourire est tout simplement heureux et serein, mais j'y détecte une trace de satisfaction mêlée de… supériorité. Pauvre Angélique.

L'apparence de Marcel confirme ce dont je commençais à me douter: je suis entourée de stéréotypes. La vieille dame riche, grise et froide, la maîtresse blond platine à la poitrine généreuse, le détective séduisant et taciturne, et maintenant le chauffeur maigrichon à la moustache tout aussi maigrichonne et au visage si commun qu'on l'oublie tout de suite après l'avoir rencontré. Je n'ai d'ailleurs aucun souvenir de lui, bien que selon madame Denoncourt, il ait déjà fait appel à mes services.

Après les présentations d'usage, Marcel prend la parole.

— Merci d'avoir répondu à l'invitation… nous lance-t-il avec une pointe d'ironie. Monsieur Denoncourt serait content de vous savoir ici… Nous allons donc commencer par prendre un verre en son honneur, tous ensemble, comme des gens civilisés…

Ah, ça me revient! Lors de notre première rencontre, ce qui m'avait frappée chez Marcel, c'était qu'on ne pouvait jamais savoir s'il avait fini de parler ou non. Il avait une façon de laisser la fin de chaque phrase en suspens, comme s'il allait dire autre chose, mais non! Rien ne venait, comme maintenant.

Je n'ai pas de difficulté à supporter les silences inconfortables. Mon problème se situe davantage au niveau du besoin de compenser, d'équilibrer les énergies : si je me trouve en face d'une personne très sérieuse, j'ai tendance à faire le clown. Si quelqu'un est déprimé, je redouble de bonne humeur, et vice-versa. Alors, assoyez-moi à une table complètement silencieuse où l'on sent à la fois amertume et supériorité, gêne et culpabilité, et finalement arrogance et impatience, et me voilà qui me démène pour compenser tout à la fois. Ce qui fait bien rigoler le Grand Baveux. Heureusement, Marcel vient gentiment à mon secours et s'adresse à Marielle et Angélique.

— À ce que je vois, mesdames, vous avez encore du chemin à parcourir... Ce n'est pas grave, Louis-Joseph s'y attendait...

— Du chemin pour arriver à quoi ? demande Angélique.

— Nous n'allons pas aborder ce sujet tout de suite. Madame Denoncourt, Angélique, je vais vous demander de quitter le pub... J'ai besoin de m'entretenir avec vos accompagnateurs. Donc, merci d'être venues, c'était pour le moins... hum...

Sur ces paroles (et sur toutes celles qui ne suivront finalement pas), Marcel se lève et raccompagne à la porte les deux femmes, trop abasourdies pour protester.

— Allons, reprend Marcel en se frottant les mains, passons aux choses sérieuses...

Après avoir commandé une autre tournée, Marcel nous explique que Louis-Joseph avait tout prévu, dans les moindres détails, des mois avant son décès. Ça, nous nous en doutions. Mais la suite allait nous permettre de comprendre un peu mieux ses motivations.

Considérant sa génétique, soit de graves problèmes cardiaques chez ses deux parents, Louis-Joseph avait pressenti que la fin arriverait sans crier gare, surtout après avoir été victime d'un sérieux malaise, un épisode dont il n'avait parlé qu'à ses enfants, ainsi qu'à son chauffeur et ami. La frousse causée par ce malaise avait provoqué chez Louis-Joseph une importante prise de conscience : il avait fait subir aux deux femmes de sa vie de grandes humiliations, Marielle en la trompant pendant des années, et Angélique en lui faisant endurer le statut de « l'autre femme ».

Sachant que la possibilité de se repentir de son vivant ne se présenterait sans doute pas, Louis-Joseph avait pris des dispositions pour un ambitieux projet : permettre aux deux femmes de se prouver leur propre valeur et d'en sortir, du moins l'espérait-il, en étant devenues de meilleures personnes.

Afin de s'assurer que son message aurait l'effet escompté, il voulait le transmettre par étape dans des endroits significatifs pour elles.

Une question me brûle les lèvres, alors j'interromps Marcel.

— Il y a quelque chose qui m'échappe. Je veux bien qu'il ait pu préparer toutes les étapes de ce petit jeu, mais comment monsieur Denoncourt a-t-il pu prévoir ma participation et celle de Jean-Simon ? Nos clientes n'ont communiqué avec nous qu'après son décès !

— Quoi ? intervient Jean-Simon. Madame la médium ne croit pas que le monsieur puisse observer la scène de là-haut et changer ses plans au fur et à mesure ? Quel manque de foi dans son propre gagne-pain !

— Louis-Joseph était un fin stratège qui ne laissait rien au hasard, avance Marcel, et il connaissait ces deux femmes mieux que quiconque…

Marcel nous explique alors que monsieur Denoncourt se doutait qu'Angélique allait demander de l'aide, puisqu'elle n'a pas l'habitude de prendre seule ses décisions. Même si son amant ne faisait pas partie de son quotidien, chaque fois qu'ils se voyaient, elle lui parlait d'absolument tout et lui demandait sans cesse conseil, depuis le film qu'elle devrait aller voir avec sa sœur jusqu'à la marque de papier de toilette qu'il lui fallait acheter. La personne à qui elle ferait appel avait peu d'importance, tout ce qui comptait, c'était qu'elle soit accompagnée.

En ce qui concernait Marielle, Louis-Joseph s'attendait à ce qu'elle préfère ne pas impliquer d'étrangers, et c'est pourquoi il lui avait fait mettre des bâtons dans les roues dès le début et avait rédigé la note l'intimant de faire appel spécifiquement à Emma.

— Fin psychologue, ce Louis-Joseph. Je suis impressionné! Pourquoi vouliez-vous nous parler en privé? s'enquiert Jean-Simon.

— Ce que je viens de vous dire ne doit évidemment pas être répété à vos clientes, et encore moins ce qui suit… Il y a certaines informations qu'il est préférable de garder pour nous, du moins pour l'instant…

J'attends quelques secondes, rien d'autre ne sort de sa bouche.

— Je ne suis pas certaine d'être à l'aise avec ça. Après tout, mon rôle est d'aider ma cliente à atteindre son objectif, et si je détiens des informations qui pourraient faire avancer les choses, pourquoi je les garderais sous silence?

— Parce que c'est pour son bien, tout simplement… Laissez-moi vous expliquer, vous changerez peut-être d'avis…

Lorsque Louis-Joseph affirmait vouloir permettre à Marielle et Angélique de «devenir de meilleures personnes», il avait une idée bien précise en tête. Sachant qu'il s'agissait d'une tâche énorme, difficilement réalisable en quelques semaines à peine, il avait décidé d'appliquer sa règle d'affaires préférée: lorsqu'une tâche nous semble insurmontable, la meilleure façon de s'y attaquer est de la prendre morceau par morceau, ou dans ce cas-ci, défaut par défaut.

Après mûre réflexion, Louis-Joseph avait déterminé qu'il souhaitait que Marielle se débarrasse avant tout de son amertume, de cette espèce de ressentiment envahissant qui teinte tout, qui l'empêche de goûter à la vie et de se rapprocher des gens qui l'entourent, et particulièrement de ses propres enfants. Il espérait que ça lui permettrait de s'ouvrir sur le monde et de l'apprécier.

Pour Angélique, il avait choisi de la pousser à s'affirmer davantage et à prendre les décisions qui lui convenaient, plutôt que de garder ses opinions pour elle et de dépendre des autres.

— Super. Très inspirant. Et nous, dans tout ça? s'impatiente Jean-Simon.

— Il est important que vous sachiez ce qui se trame sous la surface... À partir d'aujourd'hui, votre rôle ne se limitera plus à mener une enquête pour aider vos clientes à obtenir l'héritage. Vous devez maintenant vous assurer subtilement qu'elles atteindront l'objectif fixé par monsieur Denoncourt. À vous de déterminer comment vous vous y prendrez. La seule contrainte est que vous ne pouvez pas révéler ce que je viens de vous dire...

Je tripe. La chasse à l'héritage était déjà plutôt excitante, mais en y ajoutant une dimension «croissance personnelle», ça tombe tout à fait dans mes cordes. C'est que, voyez-vous, le métier d'audelàienne comporte un aspect «coaching» plus important que ce que j'avais imaginé. Les gens qui viennent me consulter sont souvent perdus, en attente du message d'un être cher disparu pour continuer à avancer, pour savoir quelle direction prendre. Bref, ils sont là, chez moi, à espérer que quelqu'un leur dise quoi faire. Ce quelqu'un ne devrait évidemment pas être moi, mais à l'occasion, lorsque les circonstances s'y prêtent, il m'arrive de jouer à la thérapeute. Jamais je ne prétendrai avoir la formation ou les diplômes nécessaires, et je me fais un devoir d'en aviser mes clients. Malgré tout, certains se sentent suffisamment en confiance pour me faire part de leurs angoisses profondes, et j'accepte avec plaisir de les écouter. Et si je peux du même coup les aider à voir clair dans leurs sentiments et les seconder dans leur quête d'une vie plus heureuse, pourquoi pas?

Mon aide peut prendre plusieurs formes. Par exemple, j'ai connu un client qui, une fois son épouse décédée, s'est rendu compte qu'il ne savait rien de rien de leurs finances (comptes de banque? placements?) ni même des corvées de la vie quotidienne. Sa douce moitié faisait tout pour lui, tant à la cuisine que dans les tâches ménagères, et le pauvre homme ne savait même pas où trouver ne serait-ce qu'un balai dans sa propre maison. Alors, j'ai fait ce qui me semblait le plus adéquat : je l'ai encouragé à rencontrer le gérant de sa banque, à ouvrir un livre de cuisine, à explorer la maison de fond en comble, mais surtout à se faire suffisamment confiance. Aux dernières nouvelles, il est devenu expert dans la préparation de sauce à spaghetti et s'attaque maintenant à la confection de biscuits aux raisins.

Toutefois, dans le cas qui nous intéresse, madame Denoncourt risque fort d'être une coachée récalcitrante. De plus, même en combinant mes propres années de thérapie et d'innombrables discussions et analyses à n'en plus finir avec les copines, je n'arriverai jamais à avoir les connaissances nécessaires pour aller au fond de la madame. J'espère que les attentes de Louis-Joseph ne sont pas trop élevées !

Marcel, satisfait de nous avoir déstabilisés, prend cordialement congé, nous promettant que nos chemins se croiseront à nouveau dans un avenir proche. Je m'apprête à m'éclipser à mon tour quand Jean-Simon me rappelle que nous avions prévu discuter en fin de journée, alors autant le faire tout de suite, non ?

— Je ne sais pas. Avec tout ce que Marcel vient de nous apprendre, j'avais plutôt envie de me retrouver seule avec mes pensées.

— Non, au contraire ! C'est le moment ou jamais de mettre nos réflexions en commun pendant que les nouvelles données sont encore fraîches.

— Il n'y a rien à discuter ! On connaît un peu mieux les intentions de Louis-Joseph, mais à part ça, on ne dispose d'aucun nouvel indice à explorer.

Marcel choisit ce moment pour réapparaître, l'air confus.

— Dieu merci, vous êtes toujours là ! Désolé, je viens de m'apercevoir que j'ai oublié de vous donner ceci…

Bon. Demandez et vous recevrez, qu'ils disaient.

JEAN-SIMON
Compliqué

Marcel nous tend deux grandes enveloppes et repart aussitôt.

Quoi encore? Il y a quelques heures à peine, je travaillais pour Angélique, et Emma pour Marielle, et nous avions des rôles de soutien. Depuis que nous sommes au pub, j'ai l'impression non seulement de travailler dorénavant pour Louis-Joseph, mais en plus d'être devenu un acteur principal.

Je confie mes réflexions à Emma. Sa réponse ne se fait pas attendre.

— Je crois qu'on est toujours dans des rôles de soutien, seulement un peu plus actifs, surtout en coulisse. De toute façon, de quoi tu te plains? Ça justifie ta présence ici, non?

— Euh… t'as raison.

— J'ai quoi?

— Raison.

— Quoi?

— RAISON!! T'as vu juste! Depuis le début de cette histoire, je cherche quel est mon rôle et pourquoi je devrais être payé. C'était si évident que ça?

— Seulement un peu. Mais ne sois pas si dur avec toi-même. Avec ce qu'on vient d'apprendre, je parie que tu as encore bien le temps de prouver ton utilité!

Nous contemplons les deux enveloppes posées sur la table, intrigués par leur taille. Une seule phrase est écrite sur chacune d'elles. La mienne dit:

Belle romantique souhait adoucit cœurs et les lourds. Tous l'endroit est le de ville mardi 16:30

Sur l'enveloppe d'Emma est écrit :

Grandiose à elle les durcis élève esprits. Rendez-vous à où commémoré fondateur la de Montréal à précises.

Je pousse un soupir excédé.

— Ça y est, Louis-Joseph sombre dans la chasse au trésor de bas étage. Un code. Et quoi encore ? Une piste d'hébertisme à traverser ? Un message en morse livré par une lampe de poche ?

— OK, ce n'est pas fort, mais peut-être est-ce simplement un signe qu'il veut que nous collaborions. Lisons nos mots en alternance, veux-tu ? suggère Emma.

Belle, *grandiose,* **romantique** *à* **souhait**, *elle* **adoucit** *les* **cœurs** *durcis* **et** *élève* **les** *esprits* **lourds**. *Rendez-vous* **tous** *à* **l'endroit** *où* **est** *commémoré* **le** *fondateur* **de** *la* **ville** *de* **Montréal**, *mardi à* 16:30 **précises**.

Hum. Perspicace, la madame. Bon, il va falloir que j'entreprenne des recherches, j'en sais sans doute moins que les touristes sur les sites historiques montréalais.

Il reste encore à ouvrir les enveloppes. Je spécule qu'elles contiennent chacune une carte marquée d'un gros X rouge indiquant l'endroit où se cache le magot, alors qu'Emma pencherait plutôt pour des t-shirts « J'ai participé à une chasse à l'héritage, et tout ce que j'ai reçu est ce t-shirt poche ».

Aucun de nous ne s'attendait à y trouver deux paires de billets d'avion pour Paris.

JOUR 6 – Paris

EMMA
Paris c'est beau, c'est beige et c'est propre

Les Parisiens aussi sont beaux. Leurs visages ont du caractère, qu'ils soient jeunes ou vieux. Il y a pour moi cinq catégories de Français séduisants : les Jean-Paul Belmondo, les Yves Montand, les Lambert Wilson, les Vincent Perez et les Guillaume Canet. Assise dans un coin tranquille de la terrasse chauffée du café Central, je les regarde passer, espérant secrètement que l'un d'eux décidera de s'arrêter un moment pour me faire la conversation et, pourquoi pas, me frencher. Je suis particulièrement fascinée par un Yves Montand qui passe devant moi à vélo, un cellulaire dans une main et une cigarette dans l'autre.

J'aime Paris. Je sais que les Parisiens ont parfois mauvaise réputation, on les dit snobs et supérieurs. Personnellement, je ne les crois pas bien méchants. Seulement, ils n'ont pas très envie de faire la conversation aux touristes et n'hésitent pas à le montrer.

Ma cliente voulait séjourner au Plaza des Champs Élysées, mais j'ai réussi à la convaincre d'opter pour mon hôtel préféré, le Grand Hôtel Lévêque, qui n'a de grand que son nom. Il est situé dans le 7e arrondissement, sur la pittoresque et piétonnière rue Cler, où se côtoient restaurants, marchands de produits frais et sympathiques cafés, dont mon favori, le Central.

Une dame âgée, cheveux courts poivre et sel, fait irruption sur la terrasse avec une boîte de documents dans ses mains. Elle s'installe à une table, dépose la boîte sur la chaise à côté d'elle et entreprend d'en sortir une à une des coupures de journaux. À chacune est attachée une feuille de papier, sur laquelle je distingue des notes manuscrites. Agente de relations publiques? Recherchiste? Elle prend un document, le regarde attentivement, ajuste le trombone, dépose le tout sur la table, efface un mot, puis repousse le document un peu plus loin. Elle tire ensuite d'autres feuilles de la boîte et reproduit exactement le même rituel, jusqu'à ce que la boîte soit vide. Puis elle remet tout à sa place et recommence. Mêmes gestes, même expression concentrée sur son visage. Pause, gorgée de café, et on reprend tout du début.

Je suis absolument fascinée par la scène. Tellement persuadée à première vue que la dame s'adonnait à une activité professionnelle, j'ai mis un certain temps à comprendre que ce n'était pas du tout le cas. Et maintenant, je donnerais cher pour savoir ce qu'elle écrit sur les feuilles, et surtout, ce qui se passe dans sa tête.

Un couple américain d'un certain âge s'installe à côté de moi et tente tant bien que mal de donner une commande au serveur.

CLIENTE: La… hum… Cwok? Clok?

SERVEUR: Croque? Croque-monsieur?

CLIENTE: Wi! Wi! Il esss… how do you say «hot»?

SERVEUR: Fromage?

CLIENTE: No, no, *hot*?

SERVEUR: Jambon?

N'en pouvant plus, j'interviens.

MOI: Chaud! Le croque-monsieur est-il chaud?

SERVEUR: Pain?

MOI: Chaud! Elle veut savoir s'il est chaud!

SERVEUR: *I'm sorry*?

Non, c'est pas vrai, il s'adresse à moi en anglais! Je m'apprête à répliquer vertement quand un grand corps masculin se pose lourdement sur la chaise devant moi.

— Tu te chicanes avec les serveurs, maintenant? demande Jean-Simon.

Je l'ignore et m'adresse plutôt aux Américains, qui ont fini par commander le *cwok* sans savoir s'il sera chaud ou froid. Ils m'apprennent qu'ils sont Californiens et qu'ils achèvent un périple de cinq semaines en Europe. Pas besoin d'avoir un don pour deviner que, malgré leur âge avancé, ils sont en voyage de noces. Je me tourne vers Jean-Simon.

— Ils sont mignons ! C'est génial de voir un nouveau couple à cet âge.

— Bon, t'as vu quoi dans ton cerveau de médium débordant d'imagination ? Une église ? Un jonc neuf ?

— Tu sais, parfois c'est bien de lever le regard de son nombril pour s'ouvrir aux gens qui nous entourent.

— Parce que tu crois que je ne le fais pas ? Comment est-ce que j'arrive à accomplir mon boulot de détective, selon toi ?

— C'est pas la même chose. Je ne te parle pas des enquêtes elles-mêmes. Je te parle de la vraie vie ! De t'intéresser aux personnes que tu rencontres dans le quotidien, à tes propres clients.

— Je m'intéresse à eux !

— Bien sûr, mais toujours avec un signe de dollar derrière la tête. Combien d'heures, de jours, as-tu passés avec Angélique jusqu'à maintenant ? Qu'as-tu appris sur elle, sur ce qu'elle aime manger, sur les films qu'elle a vus, sur sa façon de voir l'avenir sans son Louis-Joseph ?

— Mais qu'est-ce que t'en sais ? Tu n'es pas là quand je discute avec elle ! Et toi, que connais-tu de ta cliente ?

— C'est pas la même chose, ma cliente est complètement fermée !

— Tu sais ce que je pense, Emma ? Ce qui te tracasse, c'est pas que je ne m'intéresse pas aux gens en général, c'est que je ne m'intéresse pas assez à toi en particulier.

Heureusement, le petit couple d'Américains choisit ce moment pour me parler.

— Alors, vous êtes en voyage de noces, vous aussi ?

Nous sommes à Paris depuis maintenant trois jours, et nos relations se détériorent à vue d'œil. Décidément, coucher ensemble n'était pas une bonne idée.

Désolée de vous annoncer ça comme ça, mais il s'est passé tellement de choses les derniers jours, c'en est étourdissant.

JEAN-SIMON
Erreur monumentale

Je pense en avoir bouché un coin à Emma avec ma remarque. Qu'elle trouve réellement ou non que je ne lui porte pas assez attention, je m'en fous. L'idée, c'était de lui servir une analyse psycho-bonbon comme elle aime si bien le faire aux autres, et je crois avoir réussi.

Ça fait du bien. Pourquoi? Parce que j'en ai marre des filles qui flirtent sans flirter, qui s'intéressent à toi sans s'intéresser, qui couchent avec toi pour ensuite t'ignorer. Emma paye pour toutes les autres qui m'ont fait le coup, tant pis pour elle. Bon, d'accord, certaines de mes conquêtes pourraient m'accuser d'avoir eu le même comportement, mais j'aimerais préciser qu'au contraire d'Emma, mes intentions sont toujours parfaitement claires: quand je veux une aventure d'un soir, je le dis sans détour. Et surtout, quand il y a déjà quelqu'un dans ma vie, je m'abstiens.

S'il y a une chose sur laquelle Emma et moi on semble s'entendre, c'est que notre petite soirée intime était une erreur. J'ai eu ma part de soirées de beuverie se terminant au lit, mais jamais avec quelqu'un que je devais côtoyer les jours suivants. Tout ça à cause d'un vol entre New York et Paris.

Moi qui n'aime déjà pas voler, les turbulences sont la meilleure façon de me faire paniquer. Et quand je panique, je bois. Et quand je bois, je deviens sentimental. Et quand je deviens sentimental, j'embrasse la première venue. Et comme la première venue potentielle était d'un côté Angélique et de l'autre une mère de famille proprette, j'ai attendu une accalmie pour partir à la recherche de la deuxième venue. Emma et sa cliente endormie se trouvaient à quelques rangées de la mienne et, quel heureux hasard, le siège à côté d'Emma était libre.

À l'instant où je m'assoyais, le pilote annonçait calmement au micro que nous entrions dans une nouvelle zone de turbulence. Les minutes suivantes furent les plus terrifiantes de toute ma vie. Même Emma, qui affirme adorer l'avion et trouver les trous d'air très drôles (comme des montagnes russes, dit-elle), m'a spontanément pris la main. On craignait de voir les masques à oxygène descendre du plafond d'une seconde à l'autre. J'ai décidé de parler pour éviter de crier comme une fille.

— Je ne sais pas si c'est mieux de comprendre ce qui se passe ou de rester dans l'ignorance la plus totale.

— Peu importe, ce serait la moindre des choses qu'un membre de l'équipage nous parle un peu, il me semble! Pas trop forts sur le service à la clientèle. Mais ils sont si beaux à regarder, m'a répondu Emma.

— Hein?

— J'ai dit qu'ils étaient beaux à regarder. Leurs uniformes sont charmants.

Qu'elle puisse penser à ça dans un moment pareil me dépassait. Alors que nous traversions ce qui me faisait penser à un chemin rempli de dos d'âne et que plusieurs passagères poussaient de petits cris plaintifs, nous nous sommes étonnés d'entendre madame Denoncourt émettre un sonore… ronflement.

— Comment ta cliente fait-elle pour dormir dans un moment pareil?

— Elle a eu une aide chimique.

— Avoir su, je lui aurais demandé de partager. Tu crois que c'est terminé?

Au moment où je prononçais mon dernier mot, l'avion s'est remis à tressauter, puis a entrepris une chute vertigineuse, pour ensuite remonter. Et redescendre. Et remonter. Et redescendre. Je sentais vraiment que ma dernière heure était arrivée.

— Emma, avant que nous rejoignions Louis-Joseph, je peux te demander une faveur ?

— Oui ?

— Embrasse-moi.

Première erreur.

EMMA
Voulez-vous bien me dire à quoi j'ai pensé ?

Jean-Simon et moi, on s'est embrassés dans l'avion. Si on en était restés là, je crois qu'il aurait été possible de s'en sortir sans animosité. Un peu embarrassés, on se serait discrètement salués de la main en quittant l'aéroport, et la gêne aurait probablement persisté à notre première rencontre. Mais on aurait fini par en rire, et le malaise se serait estompé.

Sauf que voilà, ça s'est passé tout autrement.

Le baiser dans l'avion était délicieux. Puis à l'aéroport, nous avons attendu nos valises côte à côte, et bien que nous évitions de nous toucher, on aurait dit qu'un champ magnétique nous entourait. Vous savez, ce «dzzzzt» qu'on ressent quand on a envie de (re)embrasser quelqu'un.

Notre «au revoir», prononcé du bout des lèvres, signifiait clairement «à tout de suite». Et ça n'a pas tardé. J'avais à peine mis l'orteil dans ma chambre que déjà je recevais un message texte, adorablement laconique: «Encore SVP». Je lui ai répondu en lui envoyant l'adresse de mon hôtel.

Il s'est pointé avec une panoplie de mini-bouteilles subtilisées dans un mini-bar. Je crois que ni l'un ni l'autre n'avait l'intention d'aller plus loin qu'un (ou trente) frenchs. En tout cas, de mon côté, je n'avais pas réfléchi plus loin que ça. Et je ne crois pas m'être trompée, puisque après notre séance de bécotage, nous nous sommes sagement endormis.

Je suis allée chercher des cafés pendant que monsieur dormait encore. J'ai bu le mien devant la fenêtre, regardant la cour intérieure sans vraiment la voir. Mon cœur a fait un bond lorsque j'ai entendu Jean-Simon se lever, et un triple-boucle-piqué quand il s'est placé derrière moi pour m'enlacer. Sa barbe de quatre ou cinq jours m'a piqué le cou, j'ai ri, il m'a serrée plus fort encore. Mais un instant plus tard, ce n'était déjà plus drôle, c'était plutôt drôlement érotique. Lorsqu'il s'est mis à m'embrasser la nuque, j'aurais dû me sauver. Mais je n'en avais aucune envie. Les mains sur mes épaules, il m'a lentement fait pivoter. Ce qui a suivi était une explosion de sensualité, le french le plus french dans l'histoire des frenchs. Cette fois, il était clair qu'on n'en resterait pas là.

Notre plus gros problème est sans doute qu'on a baisé le matin, ce qui selon moi est beaucoup plus significatif que le soir. Un, l'alcool n'est plus une excuse. Deux, la lumière du matin aurait pu (aurait dû) rendre le tout inconfortable. Et trois, avec l'haleine qu'on avait, il fallait vraiment avoir très envie l'un de l'autre.

JEAN-SIMON
Top 10

Liste complète des erreurs commises par moi :
1. Embrasser Emma dans l'avion ;
2. Lui envoyer un message texte disant que j'en voulais encore ;
3. Me rendre à sa chambre ;
4. Apporter de l'alcool ;
5. Entreprendre une session de necking intensif ;
6. Rester à coucher ;
7. Prendre Emma dans mes bras le matin… et ne pas en rester là ;
8. Pendant qu'elle dormait à nouveau, fouiller dans son sac à main pour voir si elle ne me cachait pas des indices ;
9. Lire la lettre visiblement très personnelle que j'ai trouvée dans le sac ;
10. M'esquiver pendant qu'Emma dormait, parce que je n'ai pas aimé apprendre qu'elle a déjà un homme dans sa vie.

EMMA
À Paris, il n'y a pas de hasard

Après notre petite séance d'intimité (presque) spontanée, je n'ai revu Jean-Simon que le lendemain midi. Il se trouvait au comptoir de mets thaïlandais situé en face de mon hôtel. Expression de surprise, sourire gêné et/ou indifférent, puis il a traversé la rue pour venir à ma rencontre. Ce qu'il ne sait pas, c'est qu'à cause du reflet dans les portes vitrées de l'hôtel, je l'ai aperçu fixant lesdites portes bien avant que lui ne puisse me voir. Surprise mon œil ! Je veux bien que son hôtel soit situé à proximité, et je reconnais que la rue Cler est la plus chouette rue du quartier, mais vraaaaaaaaaiment. Quel âge il a, seize ans ?

— Salut, Emma.

— Salut, Jean-Simon.

— Ça va ?

— Fantastique.

— T'allais où, comme ça ?

— Dîner.

— Toute seule ?

— Oui, ma cliente n'est pas d'humeur, et je ne suis pas d'humeur à supporter ma cliente qui n'est pas d'humeur.

— Je peux t'accompagner ?

Silence. J'hésite. Vous feriez quoi, à ma place ? Le monsieur s'est sauvé la veille sans dire un mot, n'a pas téléphoné, ni texté, puis soudainement, il veut qu'on dîne ensemble ?

Sentant mon hésitation, Jean-Simon décide de faire appel à mon sens du devoir.

— De toute façon, il faut travailler sur notre plan de match pour l'enquête.

— Mouais. Puisqu'il le faut.

— Peux-tu démontrer un peu moins d'enthousiasme, s'il te plaît?

— Je peux essayer.

— C'est quoi le problème?

— Il n'y a pas de problème. Tout va pour le mieux dans le meilleur des mondes.

— OK. Je retourne à mon hôtel chercher mon cahier de notes et je te rejoins.

— Je serai au café Central.

Bon, maintenant que vous savez ce qui s'est passé au cours des derniers jours, je vous ramène au moment présent: café Central, dame avec sa boîte de coupures de journaux, couple âgé en voyage de noces qui commande un *cwok*, Jean-Simon le prétentieux qui s'imagine que je suis déçue qu'il ne m'accorde pas plus d'attention.

Que répondre à une affirmation aussi stupide? Mon premier réflexe est de lui lancer mon café à la figure, mon deuxième de l'envoyer promener, mon troisième de le tourner en ridicule. Go pour le troisième réflexe.

— Tu as raison. J'aimerais beaucoup que tu m'accordes plus d'attention.

— Hein?

— Je me languis de toi depuis notre baise endiablée. Je pense à toi chaque minute, chaque seconde. Je ne souhaite qu'une chose, que tu me déclares ton amour et me demandes en mariage.

— Tu te fous de moi.

— Pas juste un peu.

Lourd silence. Je fais ma grande fille et décide de prendre les devants.

— Non mais sérieusement, Jean-Simon, tu crois qu'on devrait reparler de ce qui s'est passé entre nous?

— Non.

— Moi non plus.

— Pourquoi tu remets ça sur le tapis, alors?

Il m'énaaaaarve. J'aimerais qu'il disparaisse maintenant. Il a au moins la décence de changer de sujet sans attendre ma réponse.

— On n'est pas les seuls à travailler, on dirait. La dame là-bas fait son classement.

— C'est ce que je pensais aussi au départ, maintenant j'en suis moins certaine. Je miserais plutôt sur la folie. Mais ses cheveux sont magnifiques. Je trouve toujours que les femmes qui ont le courage d'afficher leurs cheveux gris sont admirables.

— Tu viens encore de le faire!

— Faire quoi?

— Chaque fois que tu dis quelque chose de vaguement méchant sur quelqu'un, tu t'auto-contre-attaque avec un compliment. Tu l'as même fait dans l'avion alors qu'on risquait de s'écraser!

Je ne peux pas croire qu'il ait remarqué!

— N'importe quoi. Tout ce que je dis, c'est que la dame aux documents est étrange, et que je serais prête à parier que ce qu'elle fait en ce moment n'a rien à voir avec sa vie professionnelle.

— Parier combien? Cent dollars?

— Ben oui, comme si j'avais cent dollars à flamber sur un pari idiot!

— Dis donc, parlant d'argent, ça va chercher combien comme salaire, une médium?

— Aucune idée.

— Bon, bon, tu ne veux pas me le dire, c'est ça?

— Non, c'est pas ça. Je ne demande pas d'argent à mes clients. Et quand ils insistent pour me payer, je refile la somme à une œuvre de charité.

— T'es complètement cinglée ou quoi?

— Peut-être! Je ne te dis pas que je n'ai pas envie, parfois, de garder les dons que je reçois. Mais je ne sais pas, je…

— Tu te sens coupable d'exploiter la crédulité des gens?

— T'es con. Mais t'as raison sur la culpabilité: je me sentirais coupable de faire de l'argent avec mes séances alors qu'il n'y a pas toujours de moyen de vérifier si je dis entièrement la vérité ou non.

— Wow. Je ne pensais jamais t'entendre admettre ça!

— Que veux-tu, je suis pleine de surprises. On peut revenir à l'enquête, maintenant?

Est-ce que j'ai dit qu'il m'énervait? Il n'a aucune suite dans les idées, aucune logique conversationnelle. Comment, en moins de trois minutes, peut-il passer des agissements d'une inconnue à mon équilibrage positif, en passant par mes revenus de médium? C'est à se demander comment il fait pour mener ses enquêtes sans se perdre dans les dédales de son cerveau désordonné.

Malgré les récents événements mettant en scène le Baveux et l'Idiote (c'est moi, ça), j'ai quand même forcé mon cerveau à réfléchir aux révélations du chauffeur de Louis-Joseph.

Même si, initialement, j'adorais l'idée de coacher ma cliente, l'excitation a maintenant cédé sa place à la réalité. Ma mission est de lui faire perdre son amertume. Hum. Café amer + sucre dans le café = bye bye amertume. Madame Denoncourt amère + sucre dans madame Denoncourt = bye bye amertume. Ce serait trop beau. C'est une jolie image cependant: sucrer la madame.

La grande question, c'est de savoir comment y arriver avec une dame d'un certain âge qui irradie le ressentiment?

— Je ne sais pas toi, m'interrompt Jean-Simon, mais jouer le psy avec ma cliente, très peu pour moi.

— Donc, tu laisses tomber l'enquête?

— Comment je laisse tomber l'enquête? Pas du tout!

— Qu'est-ce que t'as pas compris, alors? Louis-Joseph tire les rênes par l'intermédiaire de son chauffeur. C'est pas compliqué: pas d'objectif atteint, pas d'héritage. De toute façon, je ne sais pas de quoi tu te plains, tu as le défi le plus facile à réussir.

— Parce que?

— Parce que ta cliente est sensible, ouverte et intelligente. Tout ce que tu as à faire, c'est l'aider à prendre confiance en elle. Alors que moi, je dois sucrer l'insucrable.

Ça lui prend quelques secondes pour comprendre de quoi je parle. Il réprime un sourire.

— Entre-temps, il faut encore qu'on trouve le point de rendez-vous indiqué sur les enveloppes qui contenaient les billets d'avion. Le fondateur de Montréal à Paris? Tu crois qu'il y a une statue quelque part? Il faudrait qu'on se rende à un bureau d'information touristique pour trouver un…

Vraiment, pas de patience aujourd'hui. Je l'interromps.

— Avant de partir de New York, j'ai trouvé un site Internet qui répertorie toutes les plaques commémoratives de Paris. Il y en a une pour le sieur de Maisonneuve dans le 5e arrondissement, rue du Cardinal-Lemoine, à côté de l'hôtel des Grandes Écoles. J'y vais avec madame Denoncourt demain matin, 8 h 30.

Je me lève pour m'éclipser, non sans remarquer que j'en ai bouché un coin au monsieur.

JOUR 7 – Paris

JEAN-SIMON
Effectivement

À CET EMPLACEMENT S'ÉLEVAIT

LA MAISON DES PÈRES

DE LA DOCTRINE CHRÉTIENNE

OÙ MOURUT EN 1676

PAUL DE CHOMEDEY

SEIGNEUR DE MAISONNEUVE

NÉ À NEUVILLE-SUR-VANNE (AUBE)

FONDATEUR DE MONTRÉAL.

Huit heures et demie, c'est tôt. Je ne suis pas encore remis du décalage horaire, de la nuit avec Emma ou de ma cuite d'hier soir (oui, une deuxième en deux jours).

Je ne suis pas le seul à être mal en point, on dirait. Quelle équipe on fait! Trois femmes et un homme, immobiles, fixant une plaque, visages vides de toute expression. Pas un sourire, pas un mot. Le silence règne depuis qu'on s'est rencontrés ici (pas tout à fait par hasard) il y a cinq minutes, et ça commence à être lourd. Le fait que personne n'ait la moindre idée de ce qu'on est censés chercher n'aide en rien l'atmosphère.

— J'ai faim, dit Emma.

— Vous avez toujours faim, rétorque madame Denoncourt.

— N'empêche, j'ai faim. Vous faites ce que vous voulez, moi je dois manger.

Je suis plutôt d'accord avec son initiative. Normalement, après une soirée bien arrosée, je déjeune avec une poutine, mais trois ou quatre croissants bien beurrés et autant d'espressos feront l'affaire. Alors qu'Emma et moi nous dirigeons vers le café Descartes, nos deux clientes hésitent un court instant. Un très court instant. Plutôt que de rester seules dans leur silence plein de ressentiment, elles ont la bonne idée de nous suivre. En s'installant à une table, Emma amorce la conversation.

— Bon, il doit bien y avoir une raison à notre présence ici. Que sait-on du Sieur de Maisonneuve ?

— Il a fondé Montréal ? répond Angélique.

— Effectivement, dis-je.

— À part ça, quelqu'un sait autre chose ?

— Il a planté la croix sur le mont Royal, affirme Angélique.

Tiens, je ne l'avais pas imaginée possédant des connaissances historiques. Emma montre des signes d'impatience.

— D'accord, mais encore ? Nous sommes déjà allés sur le mont Royal, et je ne vois pas ce que nous faisons à Paris si c'est pour y retourner. Il doit y avoir autre chose.

— Si on suit cette logique, on peut oublier un quelconque lien avec le boulevard de Maisonneuve à Montréal, souligne Angélique.

— Effectivement.

Le « effectivement » était encore de moi. Quelle brillante intervention. Mon insupportable mal de tête m'empêche de me la creuser, mais il faut bien que j'émette un commentaire une fois de temps en temps pour avoir l'air vaguement intelligent. Relancer la conversation pouvant avoir le même effet, j'ouvre à nouveau la bouche.

— Qu'y avait-il d'autre sur la plaque ? dis-je, avec une tentative de regard intense de celui qui en a quelque chose à foutre.

— La ville où il est né, Neuville sur machin truc, répond Emma avec un sourire qui veut dire qu'elle m'a percé à jour.

— Oh ! Mais mais…

Ça c'est Angélique, les yeux exorbités, qui pointe madame Denoncourt du doigt.

— Je savais que le nom me disait quelque chose ! Neuville-sur-Vanne, c'est la ville où vous êtes née, Louis-Joseph me l'a dit quand on a fait la route des vins ensemble ! Il disait qu'il était surpris qu'une femme aussi peu pétillante vienne de la région du champagne !

Angélique a à peine le temps de terminer sa phrase que déjà madame Denoncourt est debout et quitte le restaurant, suivie de près par Emma.

— Vieille gribiche, marmonne Angélique.

— Effectivement.

EMMA
Clémentine Yadlajoie

Je rattrape facilement madame Denoncourt et me place devant elle pour lui bloquer le passage.

— Alors, c'est vrai? Vous connaissiez le lien avec la plaque et vous n'avez rien dit?

— Il était hors de question que je partage cette information avec ma rivale. C'est déjà beau que j'accepte de la côtoyer, ne me demandez pas en plus d'être gentille.

— Je veux bien, mais ça n'aurait pas été trop difficile de m'entraîner à l'écart pour m'en parler!

Vulnérable? Est-ce le bon mot? Ma cliente a soudainement l'air… oui, vulnérable. Elle hésite à parler, je décide de ne pas insister. Je me mets plutôt à marcher lentement à ses côtés, lui lançant un regard en coin une fois de temps en temps. Ma patience est récompensée quelques minutes plus tard.

— Vous n'avez pas tort, j'aurais pu vous avouer que la plaque signifiait quelque chose pour moi. J'hésitais parce que je ne suis pas certaine de vouloir me rappeler mon enfance. Car c'est bien ce dont il s'agit, non? Louis-Joseph veut que je retourne là où j'ai passé les dix premières années de ma vie, n'est-ce pas?

— J'en ai bien peur, oui.

Un taxi ralentit pour nous offrir de monter, ce que ma cliente s'empresse d'accepter, tout en lançant un regard plein de dédain vers la banquette.

Ah, tiens, Louis-Joseph. J'avais presque oublié qu'il pouvait ouvrir la porte de mon cerveau à volonté.

— Madame Denoncourt? Votre mari me montre quelque chose en souriant: c'est une poupée de chiffon avec des cheveux roux et une robe jaune. Vous savez à quoi il fait référence?

— Oui. Oui, je sais.

De vulnérable on passe à surprise, puis soulagée, et même un peu… joyeuse?

— C'est Clémentine Yadlajoie, une poupée que mes parents m'avaient offerte pour mon quatrième anniversaire. La seule poupée que j'ai possédée, et le seul objet que j'ai apporté lorsque nous avons immigré à Montréal. Je l'ai encore, d'ailleurs.

— Vous souriez, c'est donc un beau souvenir!

— Oui.

— Pourquoi croyez-vous que Louis-Joseph a choisi de vous le rappeler?

— Il y a plusieurs années, il a trouvé la poupée dans un placard. Elle était en piteux état! Il s'est occupé de la faire nettoyer et réparer et me l'a offerte pour mon cinquantième anniversaire.

— Ça a dû vous faire drôlement plaisir!

— Oh… j'étais émue, c'est certain. La poupée était accompagnée d'une carte dans laquelle mon mari avait écrit: «En cette journée d'anniversaire, je te souhaite que revive ton cœur d'enfant».

— Vous croyez que c'est ce qu'il espère à nouveau?

— Sans doute. Mais pour ça, il faut que je m'ouvre à l'idée de retourner dans le patelin de mon enfance.

— Alors on y va?

— On y va.

En préparant ma valise, je me trouve face à un dilemme: avertir le Grand Baveux de mon imminent départ et risquer de contrarier ma cliente-qui-s'adoucit-doucement, ou ne pas avertir

118 CE NE SERA PAS SI SIMPLE

le Grand Baveux et mettre certainement en péril une collaboration dont je pourrais avoir besoin plus tard? Hum… À bien y penser, ma cliente étant dans un état plus ou moins perpétuel de contrariété, ça ne fera pas une grande différence.

Laconique texto: «Nous partons pour NSV par le prochain train.»

Laconique réponse: «Nous aussi.»

JOUR 8 – Direction Neuville-sur-Vanne

JEAN-SIMON
Tchou-tchou

Angélique et moi avons débattu de la pertinence de nous rendre à Neuville-du-trou-perdu, puisque l'indice de la plaque s'adressait directement à Marielle et que rien ne laissait croire que nous devions participer à cette portion de la course. Bien que ma cliente soit convaincue qu'un autre indice s'adressera directement à elle, elle a fini par décider qu'elle ne voulait rien manquer. Et puis, dit-elle, Loulou adorait cette région!

Je suis légèrement surpris qu'Emma ait pris le temps de m'annoncer qu'elles partaient pour Neuville. À voir son attitude depuis la baise, j'aurais cru qu'elle profiterait de l'occasion pour interrompre notre collaboration.

À bien y penser, c'est peut-être Emma qui a la meilleure approche: on fait comme si rien ne s'était passé, et on poursuit l'enquête.

EMMA
Petit train va loin

Madame Denoncourt et moi choisissons une cabine vide, et j'espère sincèrement que personne ne viendra troubler le silence qui nous enveloppe. J'adore regarder par la fenêtre pendant que petit train va loin. Voir les paysages défiler m'hypnotise, me relaxe, et me fait toujours penser à cette scène dans le film *Top Secret* où un arbre se déplace dans le sens contraire des autres.

Pas de chance, juste comme le train s'ébranle, des amoureux s'installent sur les sièges qui nous font face. Moins de cinq minutes plus tard, ils s'embrassent à pleine bouche en se tripotant et en se murmurant des mots doux entre deux baisers. Je ne suis pas du type envieux, mais là, vous faites chier.

C'est déjà difficile de se trouver un homme en général dans la vie, pouvez-vous imaginer ce que c'est quand on est médium et bizarre par-dessus le marché?

Ils sont drôles, les mecs. Ceux qui ne sont pas complètement rebutés par ma vocation d'audelàienne trouvent ça *cute*... les premières semaines. Puis ils se plaignent de mon manque de disponibilité (pas inexact) et du fait que mes clients se pointent chez moi à toute heure sans crier gare (pas pratique). Lorsqu'ils persistent quand même, vient le moment où apparaît une certaine jalousie (pas pertinente) par rapport au nombre d'hommes, morts ou vivants, qui me visitent, et à la quantité de relations dans lesquelles je m'investis émotivement. Généralement, la fréquentation dure de deux à quatre mois, et en aucun cas je ne m'y engage complètement, sachant très bien que le compte à rebours avant que le monsieur ne décolle commence dès la première minute.

Ça m'a pris du temps avant de trouver un gentil garçon qui ne démontrait aucun des symptômes mentionnés ci-dessus. Alexandre accompagnait sa mère pour une séance au cours de laquelle elle espérait parler à son défunt mari (et père du gentil garçon). Les étincelles ont commencé immédiatement, j'ai eu un mal fou à me concentrer. Le père, ayant senti ce qui se passait même de là-haut, s'est foutu de ma gueule à quelques reprises, me forçant à dire des trucs vaguement suggestifs à son fils. La jolie famille pleine d'humour et de chaleur m'a tout de suite adoptée. Je savais au plus profond de moi qu'Alexandre était différent des autres, et que nous allions faire un bon bout de chemin ensemble.

Je n'avais pas du tout prévu que le gentil garçon deviendrait le mort garçon alors que j'aurais le dos tourné. Littéralement. Lors d'une petite marche romantique dans les rues animées de la ville, nous attendions sagement à une intersection que le feu de circulation passe au vert. Je me suis déplacée légèrement pour regarder une vitrine, et une voiture en perte de contrôle a frappé Alexandre de plein fouet. Le chauffeur était saoul, il n'a jamais même ralenti. Le chéri est mort sur le coup, et avec lui, notre avenir, nos fous rires, nos futurs enfants et nos rêves.

Il ne me reste de lui qu'un petit mot doux écrit la veille de sa mort. Comble de l'ironie pour une médium, mon amoureux n'est jamais venu me visiter après son décès. Il est parti il y a un an aujourd'hui, et j'attends toujours.

JEAN-SIMON
Re-tchou-tchou

Nos voisins de cabine sont insupportables.

Je m'esquive et abandonne ignoblement Angélique, prise dans une conversation insignifiante avec une touriste américaine qui parle fort pour s'assurer que tout le monde l'entende.

La porte du compartiment d'en face s'ouvre au même moment sur le visage défait d'Emma. Tiens donc.

— Ça ne va pas ? Mal des transports ?

— Non, allergie aux gens qui s'embrassent sans vergogne.

— Ils sont bruyants ?

— Non, juste… ah laisse faire. Ça ne me tente pas d'expliquer.

— Moi aussi je me sauve. Tu t'en allais où ?

— J'espérais trouver une porte donnant sur l'extérieur.

— Tu veux sauter du train en marche ? C'était si pénible que ça ?

— Nono. Je veux juste m'asseoir dans l'entrée et prendre l'air.

— Ça m'étonnerait qu'ils te laissent faire ça. Viens, je te paie un café dans le wagon resto.

— À une condition : le seul sujet acceptable est la météo, OK ?

— Des heures de plaisir en perspective !

EMMA
Il fait beau, hein ?

J'ai craqué la première, après cinq solides minutes de pluie et de beau temps, de signes avant-coureurs d'un orage et de la-fois-où-j'ai-eu-le-plus-chaud. Mais c'est lorsque Jean-Simon, sourire baveux à l'appui, a abordé la tempête de verglas de 1998 que mes nerfs ont flanché.

— OK! OK! Changement de sujet, s'il te plaaaaaîîîît!

— Je savais que le verglas allait t'achever. Gnuk gnuk. Donc, l'embargo est levé? Je peux dire ce que je veux?

— Moui. Tant que j'ai droit de veto.

— On peut parler de l'enquête?

— Si tu veux, mais je n'ai rien de nouveau à t'apprendre.

— Pas de visite du monsieur qui entre dans ta tête?

— Rien qui ne fera avancer les choses, juste un message personnel pour sa veuve.

— Alors, quel est votre plan de match, une fois à Neuville-machin-truc?

— Aucune idée. Ma cliente est plongée dans ses pensées depuis qu'on a quitté Paris.

En toute honnêteté, je n'ai pas encore réfléchi à la suite. Si les derniers jours m'ont appris quelque chose, c'est que les étapes de cette petite aventure sont décidées d'avance, et que peu importe les efforts que nous déployons, Louis-Joseph et son chauffeur sont les seuls à pouvoir réellement changer le cours des événements.

Mise à part la portion «coaching», à laquelle je ne me suis toujours pas officiellement attaquée. D'ailleurs, je me demande où en est Jean-Simon avec sa propre mission.

— Comment ça avance, la formation «affirmation de soi et prise de décision 101»?

— Veto!

— C'est moi qui avais un droit de veto! Tu ne veux pas en parler parce que tu n'as rien de fait, c'est ça?

— Je suis encore en mode réflexion quant à l'approche à adopter.

— Oh la jolie réponse. T'es mieux de réfléchir vite, la fin pourrait arriver plus tôt qu'on le pense!

Je devrais suivre mon propre conseil. Je me console en me disant qu'avec mon expérience professionnelle, j'ai une petite longueur d'avance sur le détecteux. J'accepte tout de même gracieusement son changement de sujet.

— Je ne suis jamais allé dans cette région, j'ai hâte de voir à quoi ressemble Neuville-Ça-Plane.

— D'après ma cliente, Neuville-Pleine-de-Mannes est minuscule. Il n'y a même pas de gare, c'est pour ça qu'on débarque à Troyes. On prononce ça comment, tu penses? Troie? Troille? Troilless?

— Troilless est plus drôle, allons-y pour ça.

Notre conversation n'atteint peut-être pas des sommets d'intelligence, mais elle me fait du bien. Laisser son cerveau explorer des zones de niaiseries est le meilleur antidote à la déprime. Alors que je termine mon dernier rire, j'attrape au passage une douce lueur dans le regard de Jean-Simon, et ça réchauffe mon petit cœur meurtri.

Marcel a décidé de faire de l'humour. Il nous attend à la gare avec une affichette où il est écrit «Team Marielle». Il semble surpris de voir Angélique et Jean-Simon nous suivre de près, et sa réaction ne se fait pas attendre.

— Que faites-vous ici… ? demande-t-il, un brin de dureté dans la voix.

— On suit la piste que Loulou nous a donnée ! répond Angélique, un brin d'incertitude dans la voix.

— Ce n'est pas VOTRE piste, c'est MA piste ! intervient Marielle, un brin de colère dans la voix.

— Bon, peu importe à qui la piste appartient, nous sommes tous là, dit Jean-Simon, un brin d'impatience dans la voix. On y va ou quoi ?

— Nous on y va, vous, vous vous démerdez… rétorque Marcel en pointant les taxis qui font dodo de l'autre côté de la rue.

Puis il nous entraîne, Marielle et moi, vers la limo de location.

JEAN-SIMON
Pénible coaching

J'ai toujours voulu dire ça.

— Suivez cette voiture!

J'aurais préféré le dire en anglais pour faire plus film améri-cain, cependant si le chauffeur de taxi ne comprend pas la langue, ça risque de diluer l'effet.

— Z'allez où, comme ça, à part suivre la voiture?

— Neuville-sur-Vanne, mais nous ne savons pas où exacte-ment, l'informe Angélique, avec un genre de tentative d'accent français.

Bon, une autre qui se met à parler pointu quand elle s'adresse à un Français. Pourquoi, au juste? Je n'ai jamais compris, mais je connais quantité de gens qui se découvrent des accents pas rap-port quand ils conversent avec des Européens francophones. Et ça m'énerve profondément.

Heureusement, le chauffeur décide de monologuer, ce qui m'évite d'avoir à écouter l'accent poche d'Angélique, à part quand elle ne comprend pas ce qu'il raconte et qu'elle y va d'un «deeeeeuh quoi?» bien québécois, mais dit avec le bec en cul-de-poule.

Les paysages sont bucoliques à souhait (champ vert, jolie ferme, champ vert, jolie ferme), et je leur accorde toute mon attention. Jusqu'à ce qu'Angélique m'agrippe le bras.

— Mon Dieu, vous avez entendu?

— Non, quoi?

— Le chauffeur vient de dire : « Il vaut mieux arriver en retard qu'arriver en corbillard. »

— Et alors?

— Louis-Joseph disait toujours ça!

— Et alors?

— Mais c'est évident! Loulou essaie de me parler à travers le chauffeur de taxi!

Dilemme. Soit je la trouve pathétique et je ne lui fais même pas l'honneur d'une réponse, soit j'essaie de ne pas la juger et je lui explique gentiment qu'elle est dans le champ (vert, jolie ferme, etc.). Hum.

Le chauffeur s'en charge à ma place.

— Je ne sais pas qui est ce Loulou, mais ce n'est pas lui qui me dicte ce qui sort de ma bouche. J'utilise cette expression chaque fois qu'un client en retard me presse de rouler plus vite.

— Oh. Désolée. J'espérais que mon défunt amour passait par vous pour s'adresser à moi, répond Angélique, comme s'il s'agissait de quelque chose de tout à fait normal. Je ne sais pas trop quoi faire, voyez-vous, mon Louis-Joseph parle couramment à une médium, mais ne m'a pas adressé un seul mot depuis qu'il est parti. Vous pensez qu'il m'a oubliée?

Je ne peux pas croire qu'elle lui pose cette question alors qu'elle vient à peine de le rencontrer. Ce désir constant d'être rassurée, même par des inconnus, est insupportable. Cette femme a besoin d'aide.

Ah, tiens, c'est comme un peu ma job de l'aider, c'est ce pour quoi je me suis porté involontairement volontaire en acceptant de participer à cette étrange chasse à l'héritage.

Taureau, cornes, venez ici que je vous prenne.

— Angélique, combien de temps a duré votre relation avec Louis-Joseph?

— Six ans, trois mois et vingt-deux jours.

— Bon, je ne suis pas expert en ce qui se passe après la mort, en fait je pencherais plutôt pour un gros rien du tout, mais si Louis-Joseph existe encore sous une forme autre, vous pensez vraiment qu'il vous aurait si vite oubliée ?

— Je ne sais pas, mais j'ai peur que ooooouuuuuuiiiii !

Torrent de larmes. Mauvaise approche.

— Allons, allons, pas la peine de se mettre dans cet état ! dis-je un peu trop brusquement.

— Ne vous fâchez pas contre moooooiiiiii !

— Mais non, je ne suis pas fâché, c'est juste que…

— Vous ne comprenez pas à quel point j'ai de la peeeiiine !!

Bravo, champion. Diable merci, nous arrivons à Neuville-sur-Panne.

EMMA
Un café au lait, s'il vous plaît

C'est mignon, Neuville-sur-Pacane. Mignon et silencieux. Mignon, silencieux et vaguement inquiétant. Mais où est tout le monde?

Nous parcourons la ville, nous nous rendons dans tous les coins dont se souvient Marielle, rien ne lui saute aux yeux. La modeste maison de pierres où elle a grandi semble figée dans le temps. Nous descendons de la voiture pour y regarder de plus près.

— Madame Denoncourt, vous voyez quelque chose?

— Je vois que rien n'a vraiment changé. C'est plus petit que dans mes souvenirs, mais sinon, c'est la même maison.

— Et comment vous sentez-vous?

— Comment voulez-vous que je me sente? s'impatiente-t-elle.

Puis elle se reprend, plus doucement:

— Je ne sais pas. À la fois mélancolique et excitée.

J'ai envie de risquer une question vaguement importune, histoire d'ouvrir la porte à un potentiel coaching guerre-à-l'amertume, même si je sais que c'est tiré par les cheveux. Je vais tenter une approche subtile...

— Et ressentez-vous aussi autre chose? Je ne sais pas, moi: joie, indifférence, réconfort, amertume?

Elle me regarde comme si j'essayais de lui parler en latin, mais répond tout de même poliment.

— Le choix qu'ont fait mes parents de me déraciner à un si jeune âge a toujours suscité en moi une certaine amertume.

— A-ha!

Le «A-ha» triomphant n'était pas nécessairement une bonne idée.

— Comment, «A-ha»? Quelle réaction déplacée! Vous êtes heureuse que je ressente de l'amertume?

— Non, pas du tout! Je suis désolée, vraiment. Ce n'était pas approprié, je le sais. C'est juste que j'essaie de vous aider à mieux saisir les émotions que vous ressentez, et j'étais contente que vous en parliez, c'est tout.

— Vous vous êtes attribué le rôle de thérapeute ou quoi?

— Thérapeute, non. Mais j'ai quand même à cœur votre bonheur.

Marielle s'apprête à répliquer vertement, je le vois dans ses yeux. Quelque chose l'arrête, une petite étincelle de compréhension traverse son regard, et elle dit simplement:

— Merci.

Et là, nous vivons un moment. Un instant où le temps semble suspendu, où la communication passe sans qu'aucun mot ne soit échangé: madame Denoncourt vient de comprendre que je veux son bien, et moi je viens d'avoir la confirmation qu'elle n'a pas le cœur aussi dur qu'elle veut le laisser croire. Mesdames et messieurs, vous assistez à un tournant important dans notre relation. Le voyez-vous? Angélique, elle, ne le voit pas du tout, puisqu'elle émerge d'un taxi en criant: «On vous avait perdus de vue! Une chance que c'est minuscule, ici! Oh la jolie maison!»

Justement, la porte de la jolie maison en question s'ouvre. Une dame d'un certain âge en sort, souriante.

— Marielle? C'est bien toi?

Ma cliente, surprise, s'avance avec curiosité vers l'inconnue. Son sourire incertain prend de plus en plus d'aplomb pendant que son cerveau confirme ce dont elle se doutait:

— Catherine? Je ne peux pas le croire!

Ce que moi je ne peux pas croire, c'est qu'elle se jette dans les bras de la femme en pleurant de joie. Envolée, la froideur! Envolée, la rigidité! À un tel point que je détourne instinctivement les yeux, gênée d'assister à ce moment d'intimité si chaleureuse.

Mon regard se pose sur Angélique et Jean-Simon, et je ne peux réprimer un petit rire: ils ont tous deux les yeux écarquillés et la bouche grande ouverte, stupéfaits comme moi de la scène dont ils sont témoins.

— Il doit bien y avoir un endroit pour prendre un café, ici! Allez, laissons madame Denoncourt à ses retrouvailles.

Aucun café à l'horizon. D'ailleurs, aucun endroit où s'arrêter, pas même un banc de parc. Le détective qui ne détecte pas grand-chose finit tout de même par nous dénicher une table à pique-nique branlante, près d'un court de tennis qui a l'air abandonné.

Nous ne sommes pas encore assis que déjà Angélique profite du premier moment où elle peut me parler sans la présence gênante de ma cliente.

— Emma, je me demandais… est-ce que Louis-Joseph vous a parlé de moi?

— Je suis désolée, Angélique…

Ah tiens, Louis-Joseph se pointe dans ma tête. Espèce de coquin. Il me montre différents objets, mais je suis dans l'obligation de l'ignorer. Du moins, j'essaie de toutes mes forces de le faire. Même si je ressens fortement que le message n'a rien à voir avec un quelconque indice, je ne crois pas avoir le droit de communiquer des informations à la rivale de ma cliente sans le consentement express de celle-ci. L'éthique de la médium-qui-chasse-un-héritage, que voulez-vous.

Même si je n'ai jamais vu l'expression de mon visage lorsque je reçois des visites, je peux imaginer que quelque chose doit bien transparaître.

— Emma? Emma? Vous allez bien? s'enquiert Angélique.

— Ça va, juste un petit étourdissement.

Angélique semble soulagée (ce qui augmente ma culpabilité), mais Jean-Simon n'est pas dupe. Il me lance un regard qui en dit long, se gardant toutefois de tout commentaire.

Louis-Joseph parti, je m'efforce de suivre la conversation, bien qu'elle m'emmerde au plus haut point. Angélique papote sans arrêt, pendant que Jean-Simon et moi nous contentons de réponses monosyllabiques. Je n'ai rien d'intéressant à dire de toute façon, alors une fois de temps en temps, j'encourage le monologue d'Angélique par une petite question bien placée. Le Grand Baveux s'y met lui aussi, et nous alternons les questions. Lui se contente généralement d'un « ah oui ? », alors que j'y apporte un peu plus d'effort et de créativité avec mes « mais pourquoi donc ? » et mes « Je ne suis pas certaine de comprendre, pouvez-vous m'expliquer ? ». Des heures de plaisir.

Marielle et Marcel se pointent dans la limo une éternité plus tard. Je cours pratiquement vers eux, avec à peine un au revoir pour les deux autres.

Nous retournons à la maison d'enfance de Marielle, qui remarque ma perplexité.

— J'ai besoin de votre aide. Ça se complique.

— Dans quel sens ?

— La rencontre avec Catherine n'était pas fortuite.

En résumé : Catherine, nous l'avions deviné, était l'amie d'enfance de madame Denoncourt. Elles avaient grandi dans des maisons voisines et se voyaient tous les jours, jusqu'à ce que les parents de Marielle décident d'émigrer à Montréal. À l'ère de la bonne vieille poste, difficile de garder contact pour deux fillettes séparées par un océan.

Au départ de leurs voisins, les parents de Catherine s'étaient portés acquéreurs de la maison, et l'avaient louée à des étrangers de passage (de passage à Neuville-sur-Vanne ? Vraiment ?), jusqu'à ce que Catherine soit assez vieille pour l'habiter. Elle y avait fondé sa famille et vécu heureuse, tout en se demandant ce qu'était devenue son amie. Elle avait obtenu la réponse il y a quelques semaines à peine, lorsqu'un certain Marcel l'avait contactée.

Il lui avait expliqué la situation et demandé si elle voulait bien participer, à sa façon, à l'étrange aventure concoctée par Louis-Joseph. Elle s'était empressée d'accepter, et avait d'ailleurs déjà rempli sa mission en remettant quelques minutes plus tôt une lettre de Louis-Joseph à Marielle.

Ce que personne n'avait prévu, c'est que la mère de Catherine, très âgée mais toujours alerte, avait elle aussi son mot à dire.

JEAN-SIMON
Neuville-Me-Tanne

Bon, nos adversaires sont parties, probablement vers la gare, encore une fois sans nous. Comment allons-nous trouver un taxi dans ce trou perdu??

EMMA
Bienvenue les esprits

Catherine Romain et sa mère, Viviane, nous attendent avec un merveilleux café (Aaaalléluia!). L'intérieur de la maison est coquet comme tout. Je ne suis pas surprise lorsque Catherine m'apprend qu'elle est décoratrice ; elle a réussi à donner à chacune des pièces un look actuel tout en conservant les éléments architecturaux d'origine, et toute la chaleur d'une maison plus que centenaire.

Nous discutons déco pendant quelques instants, jusqu'à ce que ma cliente commence à montrer de sérieux signes d'impatience.

— Je te reconnais bien là, Marielle ! Même enfant, tu étais incapable d'attendre. Allons, ne perdons plus de temps, explique à Emma pourquoi nous avons besoin d'elle.

— La mère de Catherine vient de m'apprendre que lorsqu'elle et son mari ont acheté la maison, mes parents lui ont dit qu'ils avaient caché quelque chose dans la cave à mon intention.

— À votre intention ? Pourquoi auraient-ils fait une chose pareille ? Comment pouvaient-ils savoir que vous reviendriez ?

— Ils s'étaient apparemment promis, une fois qu'ils auraient recouvré la santé financière, de m'envoyer passer des vacances avec Catherine et sa famille. Ils voulaient me faire une surprise en organisant une chasse au trésor dans la maison.

— Ah super. Une chasse au trésor dans une chasse au trésor.

— Je sais, c'est plutôt ironique. Malheureusement, les années ont passé, et ils n'ont jamais pu me payer le voyage. Depuis, madame Romain a égaré la lettre qui devait démarrer la chasse. Tout ce dont elle se souvient, c'est que le trésor est dans la cave. Nous n'y avons rien trouvé, c'est pourquoi je suis venue vous chercher. Vous pouvez tenter de leur parler?

Bon, l'heure est venue de médiumer. À la demande de madame Denoncourt, en plus. On dirait bien que j'ai perdu mon titre de charlatan.

Personne n'ayant en main de photo ou d'objet ayant appartenu aux défunts parents, je ne peux qu'espérer que le simple fait d'être dans leur ex-maison m'aidera à établir le contact. Nous nous rendons dans la cave. C'est poussiéreux et froid, éclairé par une ampoule nue qui se balance au milieu de la pièce principale. Quelques objets éparpillés ne font rien pour rendre l'endroit sympathique; une cage d'oiseau rouillée, de vieux sabots de jardinage et une faux attirent mon regard. Vraiment? Une faux? Brrr. Lugubre.

Pendant que Marielle venait me chercher, Catherine nous a préparé un espace « bienvenue les esprits », incluant chaises dépareillées, table ronde recouverte d'un drap noir et bougies. Je n'en demandais pas tant, mais bon. Elles prennent visiblement plaisir à croire que ça se passera comme dans les films, ce qui personnellement ne m'enlève rien.

Puisque madame Denoncourt connaît déjà mes méthodes, je ne peux pas m'amuser un peu et faire bouger la table avec mes genoux. Je me contente donc de m'asseoir, d'inspirer profondément et d'ouvrir la porte de mon esprit.

Un homme d'un certain âge se présente. Dodu, joufflu et moustachu, il ne ressemble en rien à l'image que je me faisais du père de Marielle. Surtout parce qu'il est sympathique comme tout. J'informe ma cliente.

— Il y a un homme. Il me montre un arbre, il pointe vers les branches.

— (silence)

— Il tient un livre à la main. Un livre de recettes ?

— (silence)

— Je pense qu'il commence à s'impatienter. Il pointe la lettre « V » sur la couverture du livre. Est-ce qu'il y a quelqu'un qui aime cuisiner et dont le nom commence par V dans votre entourage ?

— (silence)

— Quelqu'un ? n'importe qui ?

— Euh... ma mère s'appelle Viviane ? tente Catherine.

Je transmets l'information à mon visiteur (dans ma tête, évidemment), qui acquiesce en souriant. Je lui demande (toujours dans ma tête) s'il a un message pour Viviane qui, elle, ne me quitte pas des yeux. Il met la main droite sur son cœur, et lui souffle un bisou de sa main gauche. Aye aye aye. Me voilà dans de beaux draps. Le père de Marielle était amoureux de sa voisine. À moins que...

— Madame Denoncourt, votre père portait-il la moustache ?

— Oui.

— Était-il... dodu ?

— Ah ça, non ! intervient Viviane, il était chétif comme un écureuil, le Jean-Yves !

— À moins qu'il n'ait changé de métabolisme dans l'au-delà, j'ai un moustachu corpulent qui a décidé de prendre sa place, on dirait.

— Antoooooooiiine ! ! ! ! ! ! ! ! ! ! ! C'est toi ? !

— Papa ? ?

Oh misère, ça y est. Ce n'est pas la première fois que ça m'arrive, un esprit qui sait que ses proches sont dans la pièce et qui décide de profiter du moment. Difficile de m'en débarrasser sans faire de la peine à tout le monde. Avec un soupçon d'agacement, madame Denoncourt accepte que je passe un peu de temps avec eux.

Je vous épargne les détails de la séance. Antoooooiiine aime sa femme et sa fille, il veille sur elles, il est déçu que Viviane n'ait pas refait sa vie, etc. Bla bla bla.

Ha! Ça, c'est une première! Les parents de Marielle viennent de faire leur apparition et attendent sagement leur tour un peu plus loin dans mon cerveau. Si Jean-Yves a vraiment une mine d'écureuil, Armande est sans contredit un gorille. Une gorille. Une gorillette. Une madame gorille, tiens. Elle est deux fois plus large que lui, le dépasse d'une bonne tête, et arbore un espace démesuré entre le nez et la lèvre supérieure. Pour une raison que j'ignore, je ressens un attachement immédiat pour ce couple à la fois mal assorti et mignon.

Antoooooiiine les fait patienter quelques instants, puis s'éclipse discrètement, non sans me montrer un dernier symbole de nature grivoise. Je rougis, je transmets le message à Viviane, elle rougit, Catherine et Marielle rougissent, et j'attrape un fou rire bien mal placé. Bon, une autre première, mes deux nouveaux invités sont crampés eux aussi! Jean-Yves rit tellement qu'il doit s'essuyer les yeux avec un mouchoir. Mais comment ces deux-là ont-ils pu engendrer un être possédant si peu d'humour? C'est drôle quand on y pense, Marielle s'est mariée avec un homme qui avait lui aussi beaucoup d'humour. Y'a de l'Œdipe là-dessous.

Je reprends mon souffle et indique aux parents de Marielle qu'elle aimerait savoir où se cache le trésor qu'ils lui avaient destiné. À force de gestes et de symboles, ils finissent par me faire comprendre qu'il est caché derrière une pierre détachée du mur ouest de la cave, soit complètement en haut à droite, soit au milieu vers la gauche. Ils gesticulent tellement tous les deux que je ne suis pas sûre d'avoir saisi.

Pendant que Marielle se précipite pour trouver ladite pierre, ses parents s'éclipsent sans autre message, ce que je trouve étrange. J'aurais pensé qu'ils profiteraient du moment pour demander des nouvelles (façon de parler) et transmettre un message à leur fille. Mais peut-être que le trésor s'en chargera.

Justement, le voilà. Un petit coffre en métal tout rouillé que Marielle pose sur la table et ouvre avec beaucoup de précautions.

Un bouton en bois, un bout de ruban, trois vieux francs et un dessin d'enfant sont rapidement passés en revue. Ce qui retient toute notre attention, c'est une enveloppe froissée qui contient vraisemblablement une lettre.

Je prendrais bien un autre délicieux café, mais Marielle veut tenter d'attraper le prochain train. Elle et Catherine se promettent de garder le contact, et j'ai un petit rire intérieur lorsque j'essaie d'imaginer ma cliente sur Facebook. Nous rejoignons Marcel devant la maison et il nous conduit à la gare.

JEAN-SIMON
En voiture

Tu parles d'une perte de temps! Je suis plutôt du type patient, difficile de faire autrement lorsqu'une partie de ton travail consiste à passer des heures à effectuer des filatures interminables. Généralement, toutefois, ça donne des résultats. Pas dans ce cas-ci. Une longue journée perdue à voyager en train, à ne pas boire de café sur une table à pique-nique branlante, et à faire du pouce parce qu'il n'y a aucun taxi en vue. Alors que j'allais suggérer à ma cliente de mettre ses charmes un peu plus en évidence pour attirer les automobilistes cochons, surprise! Marcel se pointe avec sa rutilante limo. Il baisse sa vitre de quelques centimètres.

— Montez, je vous emmène à votre tour à la gare... Mais silence total. Si l'un d'entre vous ouvre la bouche, j'arrête la voiture et je vous laisse sur le bord du chemin. Je ne devrais même pas être ici, ça contrevient à mes instructions...

Comme deux enfants pris en faute, nous nous assoyons sagement, les mains sur les genoux, les lèvres bien serrées pour que rien n'en sorte. Pas un son, pas un mot, pas même un cri lorsqu'un camion venant en sens inverse nous percute de plein fouet.

JOUR 9 – Paris

EMMA
Encore Paris. Yé !

J'adore voyager, mais c'est épuisant. Hier soir, j'ai retrouvé avec plaisir mon hôtel parisien favori et me suis glissée avec délectation sous les draps. C'est génial quand on se couche et qu'on trouve immédiatement la position la plus confortable. Soupir de bonheur, et dodo pour au moins douze heures. Du moins, c'était mon intention.

À cinq heures précises, cellulaire qui sonne. Ignore le cellulaire qui sonne. Petit « ding » qui dit qu'il y a un message. Ignore le petit « ding ». Cellulaire qui re-sonne. Vraiment ?

— Emma, je sais qu'il est très tôt, je suis désolée de vous déranger à cette heure. Est-ce que je peux vous parler, s'il vous plaît ?

Difficile de dire non, considérant que madame Denoncourt a passé le trajet en train soit à lire et relire la lettre de ses parents, soit à lire et relire la lettre de Louis-Joseph, soit plongée dans ses pensées. Lorsque je lui ai demandé si elle voulait en parler, elle a refusé, le menton tremblant. Elle a vraisemblablement changé d'idée, et j'ai une mission de coach à remplir. Et en plus, elle a dit « s'il vous plaît ».

Nous nous retrouvons au rez-de-chaussée de l'hôtel, dans la salle des petits-déjeuners. Les lumières ne sont pas encore allumées, mais la pièce est doucement éclairée par la lueur provenant du hall d'entrée. Ça ne m'empêche pas de remarquer que ma cliente a probablement très peu dormi, et qu'elle est bouleversée.

— Votre mari et vos parents vous font passer par toutes les émotions, hein ?

— C'est le moins qu'on puisse dire.

Silence. Je n'ose pas reprendre la parole, elle a refermé la porte que je lui avais ouverte, alors le mieux est d'attendre que ça vienne d'elle.

Ma cliente fixe la table d'un air absent, mais je sens que son cerveau tourne à cent à l'heure. Quand elle ouvre finalement la bouche après un silence de soixante secondes qui m'a semblé interminable, c'est pour déverser un torrent de paroles chargées d'un torrent d'émotions et ponctuées d'un torrent de points d'exclamation. Ça coule, que je vous dis. Elle toujours si réfléchie, posée, économe de mots, se lance dans une tirade parfois incohérente, souvent véhémente, régulièrement suppliante. Et il y a même une pointe d'autodérision là-dedans, sans blague !

C'est le moment, je dois laisser sortir le coach en moi.

— Madame Denoncourt, prenons une chose à la fois. Que retenez-vous de la lettre de vos parents ?

— Je pense que si je l'avais reçue au moment où mes parents croyaient que j'allais la recevoir, je n'aurais jamais pu lire entre les lignes et comprendre l'essence du message.

— Qui est… ?

— Qu'il était impossible pour eux de rester à Neuville, et que le déménagement était inévitable même si ça leur brisait le cœur. Et aussi que peu importe où l'on se trouve géographiquement, nos racines sont en nous, et les liens que nous tissons avec les gens qui nous entourent sont éternels.

— Vous ne croyez pas que, même enfant et de façon subtile, vous auriez pu saisir ce message et que votre compréhension des événements aurait été différente ?

— Peut-être.

— Et avec votre perspective actuelle, quel effet croyez-vous que cette lettre aurait pu avoir sur le reste de votre vie si vous l'aviez lue à cette époque?

— Comment voulez-vous que je le sache?

— Laissez-moi poser la question autrement. Sachant que le déménagement vous a causé du chagrin et a engendré, selon vos propres mots, une certaine amertume, croyez-vous que cette amertume vous aurait suivie toute votre vie si vous aviez lu la lettre et compris la motivation de vos parents?

Je laisse ma cliente réfléchir et plonge dans mes propres pensées. Non mais, quel genre de parents utilisent une chasse au trésor potentielle pour expliquer à leur fille les raisons d'un si gros bouleversement dans sa vie?! Je veux bien qu'ils aient voulu rendre la chose ludique, c'était un bel effort de créativité, mais pour la communication claire et directe, on repassera. Après ça, on se demande pourquoi la madame est si fermée.

Les minutes s'écoulent, le silence persiste. Je commence à fatiguer sérieusement. Puis, l'illumination. Ai-je vraiment besoin de savoir à quelle conclusion Marielle arrivera au terme de sa réflexion? Ma job de coach, c'est de l'amener à réfléchir et à améliorer sa vie. Le reste, ça ne me regarde juste pas. Si elle veut m'en parler, je l'écouterai. Autrement, la balle est dans son camp. Mine de rien, je viens de procéder à un sérieux et bénéfique lâcher-prise.

Madame Denoncourt rompt finalement le silence.

— Ça vous est déjà arrivé de vous tromper complètement?

— Dans quel contexte?

— Lorsque vous avez une vision, vous êtes-vous déjà méprise sur son interprétation?

— Généralement, je ne fais que rapporter ce que je vois, et je laisse mes clients déduire eux-mêmes le message. Mais il m'est déjà arrivé, à mes débuts, de me risquer à interpréter ce que je voyais, surtout lorsque mon client ne comprenait rien de ce que je lui disais. Erreur. J'ai déjà révélé à une cliente que sa mère avait dissimulé de l'argent dans la maison, alors qu'au contraire elle lui demandait d'arrêter de cacher de l'argent dans la maison. Dès que les mots sont sortis de ma bouche, la mère m'a fait de grands signes de dénégation, alors j'ai pu me reprendre, mais ça aurait pu causer toute une embrouille !

— Vous avez donc appris votre leçon. À votre défense, ça doit être facile de se tromper !

— Le problème est qu'il est difficile de faire abstraction de mon passé, surtout que les esprits qui me visitent essaient d'être gentils et de me donner des références que je peux comprendre. Sauf qu'il ne faut pas non plus toujours chercher midi à quatorze heures ! Par exemple, vous vous souvenez de notre première rencontre ? Le petit mouton tondu ? Ça aurait pu partir dans toutes les directions. Laine, ferme, agneau, rasoir, insomnie, vente de matelas… les possibilités étaient nombreuses. Il faut souvent aller à l'essentiel.

— Et vous vous en sortez très bien, il me semble.

— Madame Denoncourt ?

— Oui ?

— Vous venez de me faire un compliment.

— Je sais.

— Ne faites pas ça trop souvent, d'accord ?

— D'accord.

Son petit rire de souris qui s'étouffe est attachant.

— Pourquoi m'avez-vous posé cette question ?

— Oh… simplement parce que je vous regardais aller aujourd'hui chez Catherine, et j'ai compris pourquoi vous avez choisi ce métier, et pourquoi les gens font appel à vous. Je me suis aussi demandé si mes parents vous avaient transmis un message à mon intention, mais que vous l'aviez mal compris ou mal interprété.

— S'ils m'avaient dit quoi que ce soit d'autre, je vous l'aurais transmis.

— Même si c'était quelque chose de blessant ? Vous n'auriez pas décidé de le taire ?

— Je ne ferais jamais une chose pareille. Il m'est arrivé d'embellir un peu les messages que je recevais, mais cacher quelque chose, jamais. Ça irait complètement à l'encontre de ma mission !

— Dans le fond, ce n'est pas si surprenant que mes parents n'aient rien dit d'autre. À l'évidence, ils ont de la difficulté à exprimer leurs émotions.

Ma cliente a le talent de concentrer dans un seul regard toute une panoplie d'informations. Dans ce cas-ci, «je sais que je suis comme ça moi aussi + ne me faites pas chier + je vous aime bien quand même».

Je ne peux m'empêcher d'en rajouter un peu.

— Donc, vous me croyez.

— Que mes parents ne vous ont rien dit d'autre ?

— Non, vous me croyez quand je dis que les esprits me parlent.

Elle éclate (façon de parler) de rire, se lève, pose une main sur mon épaule et dit doucement :

— La comptine idiote, la poupée, la séance avec mes parents… vous êtes plutôt convaincante, chère Emma. Allez, la suite demain.

Je verse une petite larme de joie.

JEAN-SIMON
Probablement Paris

Les néons de la salle d'urgence m'agressent, tout autant que l'agitation autour de ma civière qui roule vers je ne sais où. On court à côté de moi en me tripotant, on me bombarde de questions, on m'empêche de m'endormir. Mais le plus désagréable, c'est que ça me pique sous le collier cervical et que je ne peux pas me gratter.

Je demande dix fois où est Angélique, personne ne me répond. Je ne m'enquiers pas de l'état de Marcel, connaissant déjà la réponse : mort sur le coup.

EMMA
Ah tiens, de la grande visite

Quelques heures à peine se sont écoulées depuis ma conversation très matinale avec madame Denoncourt. Me voilà à nouveau dans la salle des petits-déjeuners. Il faudrait vraiment que j'arrête de m'empiffrer de croissants.

Je ne me sens pas très bien, ce matin. Peut-être simplement à cause de ma nuit trop courte. Mais j'ai le sentiment que c'est plus que ça. Généralement, lorsque cette espèce de ouate négative m'enveloppe, c'est que quelqu'un près de moi ne va pas bien. J'envoie quelques textos à Montréal, histoire de me rassurer. Ça aurait été gentil de ma part d'attendre qu'il soit une heure raisonnable en Amérique du Nord. Oups. Je reçois tout de même une réponse. Ah tiens, non. C'est un message du Grand Baveux qui me demande de l'appeler.

Comme je l'ai déjà mentionné, je ne sais pas de quoi j'ai l'air lorsque je reçois des visiteurs dans ma tête, alors je préfère ne pas être seule dans un endroit public lorsque ça arrive. Quand Louis-Joseph se pointe sans crier gare (pour faire changement), j'ai quand même la présence d'esprit de changer de chaise pour faire face au mur et non aux autres clients. Ça me prend quelques instants avant de comprendre que Louis-Joseph est accompagné. Marcel??

JEAN-SIMON
Simili *scoop*

En voyant le numéro d'Emma sur mon téléphone, je prends quelques secondes pour me composer une voix de gars-qui-a-eu-un-accident-et-qui-est-à-l'hôpital. Je ne sais pas ce qui me prend, je vais pourtant plutôt bien, mais j'ai comme une petite envie qu'Emma me prenne légèrement en pitié.

— Allô… dis-je d'une voix chevrotante mais absolument masculine.

— Marcel est mort !

— Hein ? Mais c'est ce que j'allais t'annoncer ! Comment tu l'as su ?

— Il est venu me visiter avec Louis-Joseph, je te raconterai plus tard. Comment toi, tu le sais ?

— J'étais avec lui.

— Que s'est-il passé ?

— Accident. Angélique et moi nous en sommes sortis avec quelques contusions.

— Où êtes-vous, maintenant ?

— Encore à l'hôpital. Je devrais avoir mon congé d'une minute à l'autre, Angélique risque d'être ici un peu plus longtemps, elle a été plus sonnée.

— Tu veux que je vienne t'accompagner pour ta sortie ?

Je ne m'attendais pas à ça, ni à ma réponse.

— Ce serait bien, oui.

— T'es où, exactement?

— Hôtel-Dieu, 4e arrondissement. Je suis encore aux urgences, je t'attendrai à l'entrée principale, c'est juste à côté.

— OK. Donne-moi quand même un peu de temps pour annoncer la nouvelle à madame Denoncourt. Je te texte avant de partir.

Emma savait donc que Marcel était mort. Et si c'était Angélique qui l'avait appelée avant que je puisse le faire? Ça m'étonnerait qu'Emma prenne la chance de me servir un si gros mensonge, sachant que je risque éventuellement d'apprendre la vérité, mais ça ne coûte rien de vérifier. Tout pour ne pas croire qu'elle a vraiment pu l'apprendre grâce à une visite surnaturelle.

Les urgences me semblent particulièrement occupées aujourd'hui (quoique c'est peut-être toujours comme ça), et Angélique a été déplacée depuis ma dernière visite. Je la retrouve finalement couchée dans une salle au milieu d'un groupe mal en point.

Lorsqu'elle m'aperçoit, elle se met à pleurer doucement.

— Je ne peux pas croire que Marcel soit mort, renifle-t-elle. Je sympathise tellement avec son épouse, elle a dû avoir tout un choc quand la police lui a téléphoné. Je me souviens quand…

— Vous l'avez dit à Emma?

— Pardon?

— Vous avez téléphoné à Emma pour lui annoncer la nouvelle?

— Mais non, pourquoi? J'aurais dû?

— Non non. C'est juste que… Quand j'ai voulu le lui dire, elle était déjà au courant.

— Mais, comment?

— Elle a dit que Marcel l'avait visitée avec Louis-Joseph.

— Nooon, pour vrai? Quelle bonne nouvelle! Au moins, ils sont ensemble.

— Mmmm.

— Ça me soulage de savoir qu'ils vont pouvoir se tenir compagnie, là-haut.

— Mmmm.

— Sérieusement, vous n'y croyez toujours pas? Malgré ce qui vient de se passer?

— J'ai la tête dure.

EMMA
Tant de larmes, vraiment?

Moi qui pensais commencer à connaître ma cliente, elle n'a pas fini de me surprendre.

Depuis notre première rencontre, les quelques commentaires qu'elle a passés sur Marcel ont toujours été vaguement malveillants, m'amenant à croire qu'elle ne le portait pas dans son cœur. L'explosion de larmes lorsqu'elle apprend la nouvelle de son décès me montre qu'il y a quelque chose que je n'ai pas compris.

— Madame Denoncourt? Ça va?

— Bien sûr que non! Marcel était important pour moi, il faisait partie de ma vie depuis des années! Nous avons eu nos différends, mais il a toujours été un employé loyal pour mon mari, et surtout, un grand ami.

Moui, ça se défend. Mais autant de larmes, vraiment? Pendant si longtemps? J'ai un flash. Je me lance.

— Je peux vous poser une question indiscrète?

— Depuis quand demandez-vous la permission?

— Avez-vous pleuré beaucoup quand votre mari est mort?

— Évidemment pas! Il a crevé dans les bras de sa salope de maîtresse!

— Je comprends que ça vous ait choquée. Mais ça veut quand même dire que vous avez refusé de pleurer sa mort en vous basant sur un moment dans le temps, plutôt que sur toute une vie commune?

155

Silence. Silence. Re-silence. Oh quel long silence ! Je poursuis.

— Je sais bien que votre couple n'était pas le plus heureux sur la planète, mais avec tout ce que vous avez vécu ensemble, ça ne méritait pas quelques larmes ?

— Qu'est-ce que vous essayez de faire, me pousser à pleurer encore plus ?

— Non, je me disais simplement que les larmes que vous n'avez pas versées pour votre mari ont besoin de sortir, et elles ont peut-être trouvé une avenue intéressante… pleurer un chauffeur, c'est moins compromettant que pleurer un homme qui nous a trahie.

JEAN-SIMON
Thérapie

Lorsqu'Emma s'approche de moi et ouvre les bras, je n'hésite pas une seconde. Je suis grand, je suis fort, je suis fier et solide, mais après le choc et les émotions des dernières heures, rien ne pouvait me faire plus de bien que de me retrouver dans l'étreinte d'une âme sympathique. Tellement que je n'ai aucunement l'intention d'être le premier à la briser. Je ne sais pas si Emma l'a senti, mais elle ne bouge pas non plus, même lorsqu'elle se met à parler.

— As-tu mal quelque part?

— C'est supportable.

— Je suis contente que tu sois en un morceau.

— De justesse quand même.

— Et ta tête, elle? Dans le sens de cerveau? Tu dois revoir l'accident en boucle, non?

— T'as tout compris. Je revis tout ça au ralenti: l'espèce de silence lourd qui a précédé l'impact, le klaxon de la limo qui n'en finit plus d'avertir le conducteur du camion qu'il a traversé dans la voie inverse, Marcel qui nous crie de bien nous tenir, mais qui ne finit pas sa phrase, le bruit de la ferraille qui se froisse et du verre qui éclate, les cris étranglés d'Angélique, et enfin le silence.

Ça vibre sur mon épaule. Emma… rit? Aux larmes?

— Je suis désolée, je… wouhahahahaha!

Elle s'éloigne de moi pour pouvoir se plier en deux. Son rire est communicatif, j'ai une petite envie de me joindre à elle, mais j'aimerais bien savoir de quoi on rit, au juste.

— Oh... c'est terrible de rire dans un moment pareil, mais quand tu as dit que Marcel n'avait pas fini sa phrase, je n'ai pas pu m'empêcher de penser que c'était absolument approprié pour lui.

— Parce que?

— Tu n'as jamais remarqué? Marcel laissait toujours ses phrases en suspens, comme si quelque chose d'autre allait suivre, mais rien ne venait!

— Maintenant que tu le dis...

Et là j'éclate, moi aussi, d'un fou rire thérapeutique. Les nerfs lâchent, et tout sort sans retenue.

EMMA
Lâcher prise. Oui, encore.

Jean-Simon insiste pour marcher un peu en quittant l'hôpital. Je ne suis pas certaine que ce soit la meilleure des idées, mais j'accepte. S'il se tanne que je lui demande comment il va à chaque dizaine de pas, il finira peut-être par entendre raison.

En plus de m'inquiéter du bien-être du Grand Blessé, mes pensées se dirigent naturellement vers madame Denoncourt. Je me sens un peu moche de l'avoir abandonnée sur des paroles psychologiquement ébranlantes, mais au bout du compte, ça va nous faire du bien à toutes les deux. À elle, parce qu'elle doit un jour ou l'autre vivre le deuil de Louis-Joseph, et à moi parce que je dois apprendre à laisser les autres souffrir.

Voilà, c'est dit.

Je n'ai jamais pu être témoin de la souffrance des autres sans sentir le besoin de les rassurer, de les consoler, de leur promettre que tout ira bien, que le temps fera son travail, que la vie ne leur apporte que ce qu'ils sont capables de supporter, que ce moment difficile survient certainement pour les amener à autre chose, que l'univers les soutiendra dans leur épreuve. Et je n'interviens pas qu'avec des bons mots, j'arrive aussi avec des solutions. À coups de «avez-vous pensé à» et de «peut-être pourriez-vous essayer de», j'essaie de les aider à résoudre leur chagrin rapidement, et à ma façon. Et c'est là le cœur du problème.

Entre nous, qui suis-je pour savoir ce qui est bon pour eux? Oui, d'accord, j'ai peut-être un recul qu'ils n'ont pas à ce moment précis. Mais à moins qu'ils ne me demandent clairement ce que je pense de la situation et ce que je ferais à leur place, je dois apprendre à me taire.

Dans des moments comme ça, je pense souvent à Gabrielle, une de mes fidèles clientes. Quelques mois après le décès de son mari, elle m'a dit que le pire n'est pas juste après la mort, mais plusieurs semaines plus tard. Au début, elle était entourée de sa famille et de ses amies, pas une minute ne se passait sans que quelqu'un soit là pour la consoler, pour l'aider, pour lui donner des conseils et la soutenir dans son deuil. Puis, la vie de tout le monde a repris le dessus, les visites et les appels téléphoniques se sont espacés, et elle s'est retrouvée complètement seule avec sa peine. Et c'est exactement ce que j'ai vécu après la mort de mon Alexandre.

Le rapport avec ce que j'étais en train de dire? C'est simple: c'est bien gentil de ma part de vouloir alléger la souffrance des autres, mais je ne peux pas être à leurs côtés pour toujours. Ils devront tôt ou tard faire face à leur peine. Je ne peux pas tout contrôler.

Contrôle. Ah tiens, le mot que je déteste.

JEAN-SIMON
Je vais.

Emma et moi marchons lentement, je commence néanmoins à me fatiguer. Et à avoir mal, aussi. Les médecins ont été chiches sur les médicaments, la ouate se dissipe un peu trop rapidement à mon goût. Mais, plus important que la douleur, nous sommes dans le caca. Je fais part de ma réflexion à Emma.

— Marcel parti, aucun indice en vue, on est vraiment dans la merde.

— Toi peut-être, mais moi non ! répond-elle avec un sourire baveux.

— Qu'est-ce que tu veux dire ?

— Madame Denoncourt a reçu une lettre de Louis-Joseph lorsqu'elle a vu son amie Catherine.

— Ah ! C'est bon à savoir ! Qu'est-ce que dit la lettre ?

— Aucune idée, je ne l'ai pas encore lue. Avec tout ce qui s'est passé dans les dernières heures, ce n'était pas nécessairement ma priorité.

— Maintenant, ça l'est !

Je lève le bras (outch), arrête un taxi et dirige résolument Emma vers la banquette arrière.

Plutôt du genre pessimiste, je travaille fort pour étouffer mon inquiétude naturelle et espérer que la lettre de Louis-Joseph contienne l'indice qui permettra de clore cette histoire d'héritage. Dans le cas contraire, je ne vois pas comment on arrivera à un dénouement heureux, puisqu'il n'y a plus personne pour nous manipuler en douce. Marcel, c'était quoi l'idée de nous lâcher ? Je poursuis ma réflexion à voix haute avant qu'Emma ne me demande pour la vingt-sixième fois comment je vais.

— Donc, on mise tout sur la lettre.

— Et sur une potentielle visite dans ma tête, rétorque Emma.

— C'est ça, oui.

— Vas-tu finir par me croire ?

— Probablement pas, mais tu peux continuer à essayer de me convaincre, ça ne me dérange pas.

— T'es trop généreux, merci de me donner le droit d'exister.

— Plaisir.

— C'est drôle, tu ne mentionnes pas qu'en tant que super détective, tu pourrais nous amener à la conclusion par la seule force de ta capacité de déduction légendaire.

C'est drôle en effet, ça ne m'a même pas effleuré l'esprit.

EMMA
Je n'aurais pas pu le prédire

Le lourd silence qui s'installe dans le taxi ne contribue pas à améliorer mon humeur nouvellement poche. Ce qu'il peut être désagréable, cet ado attardé !

Oh et puis j'en ai assez. Jean-Simon a beau être blessé, ça ne lui donne pas le droit de m'empoisonner l'existence. S'il est assez en forme pour recommencer à être baveux, il peut se débrouiller tout seul. Je laisse à peine au chauffeur le temps de ralentir avant de sauter sur le trottoir et de mettre le plus de distance possible entre moi et cette espèce de bulle négative. Je prends tout de même un instant pour lui dire relativement aimablement de faire attention à lui.

Mon hôtel n'est qu'à quelques minutes de marche, qui ne sont pas de refus. Je dois réfléchir à la meilleure façon d'aborder la question de la lettre avec madame Denoncourt. Jusqu'à maintenant, elle ne m'a nullement laissé entendre qu'elle avait l'intention de me la montrer. Il serait logique qu'elle le fasse, après tout, je suis là pour l'aider dans sa quête, mais il y a quelque chose dans son attitude qui m'empêche d'insister.

J'entends un son qui ressemble à mon nom. Hein ? Ma cliente est assise à la terrasse du café Central. Dans un endroit public. De son plein gré. On aura tout vu.

— C'est bien ici votre café préféré, non? J'ai eu envie d'un thé et d'un peu d'air frais. Je me suis dit que vous finiriez bien par venir ici, vous aussi. Comment va le détective?

Une surprise n'attend pas l'autre. D'abord, elle s'expose au peuple, puis elle demande des nouvelles de quelqu'un.

— Il est sonné, mais n'a rien de grave.

— Tant mieux. C'est tout?

— Euh… une grosse bosse sur le front.

— Vous n'avez rien d'autre à signaler?

Hé hé hé. À peine subtile. Je ne vais pas la torturer plus long-temps, c'est déjà beau qu'elle le demande de manière détournée!

— Angélique doit rester en observation jusqu'à demain, mais les médecins ne sont pas inquiets outre mesure.

— Ah bon. C'est bien.

Je ne sais pas quoi répondre. Je suis démunie devant l'apparition soudaine chez Marielle d'une once de sympathie envers sa rivale. Devrais-je tenter d'approfondir le sujet? Ignorer son commentaire et faire comme si c'était normal? Pas le temps, elle s'apprête à dire quelque chose.

— Vous savez, je ne lui en veux presque plus.

— (Choc. Silence. Plein de questions dans ma tête qui se bous-culent à la sortie.)

— Je considère encore qu'elle est une salope.

— (Ah, quand même.)

— Mais je ne crois pas qu'il soit utile de nourrir du ressentiment envers elle. Qui sait ce que ma vie aurait été si elle n'était pas entrée dans celle de mon mari? Ça aurait peut-être été encore pire.

— (Vraiment?)

— Je ne sais pas, moi, il aurait pu rencontrer quelqu'un de plus accaparant, ou encore ne pas avoir cet exutoire et décider qu'il en avait assez de notre mariage. Je préfère avoir été trompée que divorcée.

— (Bon point… mettons).

— Bref, je ne lui veux plus de mal.

— (Je retrouve enfin l'usage de la parole) Je peux vous demander ce qui vous a amenée à cette conclusion ?

— J'aimerais vous dire que c'est par grandeur d'âme ou par charité chrétienne que je lui ai pardonné, mais ce serait un mensonge. La vérité, c'est que je suis épuisée. Marcel m'a dit il y a plusieurs années que lorsqu'on est à la base une bonne personne, c'est beaucoup plus difficile de détester que d'aimer. Ça demande un travail constant de négativité qui va contre nature. J'en ai assez de me battre contre moi-même, de chercher la bête noire qui nourrira mon ressentiment. Désormais, je veux nourrir mon... bonheur.

Je suis à nouveau sans mots, mais cette fois, c'est l'énorme boule dans ma gorge qui m'empêche de parler. J'aurais sans doute pu m'en remettre rapidement, si madame Denoncourt n'avait pas éclaté en sanglots. Alors je l'imite.

Vraisemblablement venu à ma recherche, Jean-Simon se pointe sur la terrasse et nous trouve en pleine séance de larmoiement souriant. Démontrant encore une fois qu'il est un vrai gars et qu'il ne sait pas lire correctement une situation émotionnelle, le Grand Dadais nous interrompt.

— Pis, la lettre ?

JEAN-SIMON
Au coin

Le moins qu'on puisse dire, c'est que l'accueil est glacial.

— Tu ne devais pas te reposer, toi? demande Emma.

— J'avais seulement besoin de me rafraîchir un peu. Je me sens parfaitement d'attaque. La lettre?

— Les nerfs, pompon! Un, ce n'est pas à toi qu'elle s'adresse, et deux, tu es dans l'autre équipe, tu te souviens?

Je ne vois pas pourquoi Emma s'emporte comme ça. Sa cliente doit bien savoir que certaines informations ont circulé entre elle et moi! J'en ai marre de perdre du temps avec des considérations politiques. J'ai mal partout, je veux rentrer chez moi, et je veux empocher un gros montant d'argent. Fini la diplomatie, l'heure est à l'action… freinée par madame Denoncourt.

— Vous pouvez nous laisser seules quelques minutes, monsieur Pellerin? demande-t-elle presque gentiment. Emma et moi devons discuter de certaines choses.

— Écoutez, je veux bien que…

— MAINTENANT, monsieur Pellerin.

EMMA
Le doigt sur le bobo

Sous mes yeux, le Grand Baveux se transforme en Grand Piteux et disparaît de notre champ de vision. Hé hé hé.

— Madame Denoncourt, avant de lire la lettre, j'ai une faveur à vous demander.

— Allez-y.

— Lorsque nous étions à Neuville-sur-Vanne, Louis-Joseph est venu me visiter. Il voulait que je communique un message à Angélique.

— L'avez-vous fait?

— Non. Je ne voulais pas le transmettre derrière votre dos. Mais maintenant que vous n'en voulez plus à Angélique...

— Faites-le. Et merci de votre loyauté. J'apprécie.

Aussi simple que ça? Wow.

Sans autre préambule, madame Denoncourt sort la lettre de son sac à main et me la tend.

Marielle,

Je suis content que tu te sois rendue jusqu'ici et que tu aies pu retrouver ton amie Catherine. Je sais que ton enfance a été parfaitement heureuse jusqu'au déménagement de ta famille à Montréal, qui a été pour toi une étape déterminante de ton existence.

Je crois que c'est ce qui a fait de toi une mère aussi protectrice pour nos trois enfants. Tu as toujours tenu à ce qu'ils se sentent en sécurité dans une routine bien établie où il y avait peu de place pour l'innovation et le changement. La réalité humaine, c'est que les enfants grandissent, qu'ils veulent vivre des expériences nouvelles et faire leurs propres choix. C'est là que ça s'est gâté pour toi, n'est-ce pas? Leur éloignement des jupes de leur mère a provoqué les premiers conflits, qui se sont poursuivis jusqu'à l'âge adulte.

Et je n'ai pas aidé à améliorer la situation. Je n'étais pas assez présent pour voir le fossé se creuser entre vous, et je m'en excuse.

Est-il trop tard pour vous? Absolument pas. Je sais que tu les aimes, et qu'ils t'aiment aussi. Ils ne demandent qu'à vivre un rapprochement avec leur mère, mais la vérité, c'est qu'ils te craignent trop pour faire les premiers pas.

Mais toi, Marielle, auras-tu le courage de mettre de côté ta fierté pour retisser des liens avec ceux que tu aimes plus que tout au monde? Il suffit d'un simple coup de téléphone, tu sais.

Louis-Joseph

Facile de comprendre pourquoi cette lettre a fait pleurer Marielle! Son mari a certainement un talent pour mettre le doigt sur ce qui fait mal, mais aussi une jolie façon d'offrir une solution simple et facile d'accès: prendre le téléphone.

— Qu'allez-vous faire, Marielle?

— Je vous l'ai déjà dit, nourrir mon bonheur. Je peux utiliser votre cellulaire?

JOUR 10 – Paris

JEAN-SIMON
Underdog

Je suis un détective. Mon job est de dénicher des pistes, de les suivre, et de trouver des réponses là ou personne d'autre n'a pensé chercher. Est-ce que j'ai joué mon rôle jusqu'à présent? Pas du tout. L'autre équipe ne veut pas partager l'information qu'elle a reçue? Parfait.

La piste la plus évidente, Angélique la détient probablement sans le savoir. Depuis que nous sommes en France, madame Denoncourt est la seule à avoir reçu un indice. Mais si Louis-Joseph a voulu qu'Angélique vienne à Paris elle aussi, c'est qu'il y a une raison.

J'ai quand même laissé ma cliente se reposer à l'hôpital jusqu'à aujourd'hui. Il est temps de passer à l'action.

Lorsque j'arrive à l'Hôtel-Dieu, Angélique est habillée et prête à partir. Je suis content de lire sur son visage la même volonté qui m'habite: nous n'avons peut-être pas l'avantage en ce moment, mais parfois, être l'*underdog*, l'équipe défavorisée, a du bon. Ça nous met la rage au ventre.

— Café, Angélique?

— Si ça ne vous dérange pas, je préférerais marcher un peu. Après ces heures interminables entourée de malades et de blessés, j'ai envie de respirer à pleins poumons.

— D'accord. Mais passez-moi votre sac de voyage. Et vous me le dites si vous avez besoin d'arrêter.

— Mon sac ne pèse pas lourd, il n'y a plus de vêtements dedans. Ils sont sur moi. J'ai jeté ceux que je portais quand nous avons eu l'accident, ils étaient tachés de sang et d'une substance inconnue que je soupçonne être de la cervelle de Marcel.

— Angélique!

— Je suis désolée d'être aussi crue, mais j'en ai marre de me cacher derrière mon sourire et mes bonnes manières. J'ai envie de dire ce que je pense, et tant pis pour la bienséance et les conséquences.

— Et également envie de faire des rimes?

— Oui, ça aussi.

J'ai réussi à la faire sourire, mais elle n'a rien perdu de cette nouvelle détermination. J'aime. J'encourage.

Angélique semble déjà sur la bonne voie pour l'objectif «affirmation de soi et prise de décision». Non seulement l'enquête a avancé sans ma participation, le coaching a également l'air de se faire sans que je lève le petit doigt. Mais je ne veux plus être un simple spectateur, le rôle ne me plaît pas du tout. Il est temps que ça change.

Ma première tentative lorsque nous étions en direction de Neuville-sur-Vanne s'étant soldée par un échec, je dois trouver une autre approche pour jouer au coach.

Je me vois, debout devant le banc des joueurs; Angélique est sur le terrain, on vient de lui passer le ballon, et elle se dirige seule vers le panier. Tout ce qu'il me reste à faire, c'est de l'encourager.

— C'est génial de vous entendre parler comme ça, Angélique.

— Quoi, en rimes?

— Non, je veux dire que l'affirmation de soi vous va bien.

— Pour vous, parler de cervelle est une façon de s'affirmer?

Mon joueur dévie de sa course. Plus de subtilité mon vieux, allons!

— Non, je fais référence à votre nouvelle envie de parler sans détour.

— Ah... ça. Elle n'est pas si nouvelle, cette envie. À force de côtoyer Loulou, j'ai un peu mis de côté ma franchise.

— Il n'appréciait pas ?

— C'est surtout que mon statut de maîtresse m'a toujours paru précaire. Nous avons eu quelques mésententes à nos débuts, généralement provoquées par un commentaire négatif de ma part. Inévitablement, Loulou partait en claquant la porte, et je restais seule avec ma peine, ne sachant jamais s'il allait revenir ou non. J'ai donc appris à me la fermer.

— Pas commode, le monsieur !

— Mon rôle était de le divertir, point. J'ai fini par le comprendre avec le temps.

— Et ça vous convenait ?

— Je vous mentirais si je disais que j'étais entièrement heureuse de mon sort. L'amour nous fait accepter bien des choses.

— Y compris le fait de s'en remettre aux autres pour prendre des décisions ?

— Pardon ?!

Trop vite, trop loin, imbécile ! Recule, recule...

— Je... euh...

— Vous essayez de me dire que je ne suis pas assez décisive ?

Elle s'est arrêtée de marcher et me dévisage avec des yeux de cocker, le menton tremblant, attendant ma réponse. Jusqu'à ce que son regard soit attiré par quelque chose derrière moi, me permettant d'oublier de répondre à sa question.

— Vous voulez une décision ? En voilà une. C'est là que nous allons prendre un café. C'est de bon augure.

Elle pointe du menton (qui ne tremble plus) la terrasse d'un café : le Trésor.

EMMA
L'insucrable est finalement sucrée

Madame Denoncourt, le cellulaire à la main, fixe le vide. Elle attend sans doute que je la laisse seule, alors je me lève.

— Oh, ne partez pas, Emma !

— Pardon ?

— Pouvez-vous rester un instant ? Je ne... je...

— Vous avez besoin de soutien moral ?

— C'est plus que ça. Je... je ne sais pas quoi dire à ma fille.

Son désarroi est touchant, et compréhensible. Comment amorcer une conversation avec quelqu'un de qui on s'est tant éloigné ? « Salut, quoi de neuf ? » ? Pas vraiment, non.

— Si j'étais vous, je commencerais en lion.

— C'est-à-dire ?

— Si vous y allez trop doucement, elle pourrait s'impatienter et vous interrompre. Et si elle prend le contrôle de la conversation sans connaître votre objectif, ça risque de mal se terminer. En établissant votre intention d'entrée de jeu, elle ne pourra que vous écouter.

— Bon point.

La réflexion de ma cliente dure plusieurs minutes, ce qui me donne le temps de l'observer à loisir. La différence entre la femme qui s'est présentée à ma porte il y a peu de temps et celle assise devant moi est absolument saisissante. Bien qu'elle soit préoccupée par la conversation qu'elle s'apprête à avoir, son visage a perdu la dureté qui le caractérisait. Ses traits semblent plus mobiles, comme si ses muscles avaient repris vie après avoir été paralysés pendant des années par la colère et la négativité. Je fais un gros pied de nez mental à tous ceux qui disent que les gens ne peuvent pas changer.

— Et si elle refuse de me parler?

— Lorsqu'elle vous a téléphoné pour vous annoncer sa grossesse et vous dire que vous ne feriez pas partie de la vie de son enfant, vous vous souvenez de mon commentaire?

— Oui, vous avez dit que si elle prenait la peine de m'appeler, c'est qu'il y avait encore de l'espoir.

— Exactement. Allez-y, téléphonez. La situation ne peut pas vraiment être pire que maintenant, vous ne croyez pas?

Je me lève et m'éclipse discrètement lorsque Marielle commence à composer le numéro. J'ai tout de même le temps de l'entendre dire: «Julianne, ne raccroche pas. Je t'aime.»

JEAN-SIMON
Chemise rayée

Il y a du monde, à Paris. Plus de deux millions d'habitants, et des touristes à profusion. Alors, lorsqu'on aperçoit la même personne trois fois dans la journée, ça surprend.

Je l'ai remarqué la première fois en quittant mon hôtel ce matin, tout simplement parce qu'il portait une chemise identique à la mienne, noire avec une fine rayure grise. Je sais, c'est typiquement féminin de noter ce genre de truc, mais c'est aussi typiquement détective. Je l'ai ensuite revu dans le hall de l'hôpital alors qu'Angélique et moi nous dirigions vers la sortie. Et le voilà maintenant assis à quelques tables de nous sur la terrasse du Trésor. Coïncidence ? Je ne pense pas. Surtout qu'il vient de détourner les yeux lorsqu'il s'est aperçu que je l'observais. Intéressant.

Angélique n'a rien remarqué, et je me garde bien de lui dire quoi que ce soit. Un, elle risque de se tourner d'un coup pour regarder derrière elle, et deux, je ne veux pas la rendre nerveuse.

— Alors, monsieur le détective, on fait quoi ?

— Je pense que notre meilleure option est que vous me parliez de ce que la France signifiait pour vous et monsieur Denoncourt. Les moments que vous avez passés ensemble ici, les endroits visités, des situations inhabituelles que vous avez vécues et dont Louis-Joseph se serait souvenu.

— Nous ne sommes venus en France qu'une seule fois, mais nous sommes restés plusieurs semaines, alors la liste pourrait être longue.

— Puisqu'il aurait sans doute voulu que vous vous rendiez à un endroit significatif précis, parlez-moi d'abord de vos plus beaux moments, plutôt que d'y aller géographiquement ou chronologiquement.

— Le premier qui me vient en tête est la Bretagne. Nous sommes tous les deux tombés amoureux d'une charmante petite ville du nom de Perros-Guirec. Nous y avons vécu les plus beaux moments de notre voyage, les plus difficiles aussi.

— Racontez-moi.

C'est interminable. J'ai droit à tous les détails. Mais quand je dis tous, c'est vraiment tous. Leur voyage en Bretagne a duré cinq jours, et je sais maintenant ce qu'ils ont mangé pour chacun des déjeuners, dîners et soupers, quels vêtements ils portaient, combien de minutes ils marchaient d'un endroit à l'autre, les endroits visités, le nom de tous les étrangers à qui ils ont parlé, ainsi que la disposition exacte de la chambre qu'ils avaient louée dans une petite auberge absolument a-do-rable. Angélique m'a même appris comment dire « s'il vous plaît » et « merci » en breton.

La seule portion de son récit qui a retenu entièrement mon attention faisait référence à une visite en particulier : celle de l'oratoire de Saint-Guirec. Quand j'ai entendu « oratoire », j'ai tout de suite imaginé un site grandiose comparable à notre oratoire Saint-Joseph, mais non. Il s'agit en fait d'un modeste monument religieux, une espèce de niche en pierre abritant une petite statue du saint. Située sur une plage jonchée de rochers et accessible seulement à marée basse, la statue est associée à une tradition pour le moins particulière : les jeunes filles célibataires piquent une aiguille sur le nez du saint ; si l'aiguille reste plantée, la croyance veut qu'un souhait de mariage sera exaucé avant la fin de l'année.

— Remarquant l'absence de jonc à mon doigt, l'aubergiste m'avait parlé de la légende et s'était empressée de me remettre une aiguille à l'insu de Loulou. Lorsque, quelques jours plus tard, nous nous sommes rendus sur la plage de Ploumanac'h, je suis allée directement vers la statue.

— Aviez-vous parlé à Louis-Joseph de la croyance ?

— Non, je n'avais pas osé. À l'époque, je conservais encore l'espoir qu'il quitterait sa femme pour moi, mais je savais qu'il s'agissait d'un sujet délicat à n'aborder que stratégiquement. J'anticipais déjà sa réaction lorsque je planterais l'aiguille, et surtout lorsque je lui expliquerais pourquoi je l'avais fait.

— Et alors, comment a-t-il réagi ?

— J'avais deux scénarios possibles en tête : soit il me demanderait en mariage sur-le-champ, soit il piquerait une colère noire. Finalement, ça n'a été aucune de ces réponses. Sa réaction m'a semblé encore pire que la colère : il a mis son bras autour de mes épaules, m'a regardée avec pitié et m'a dit : « Ma pauvre Ange, tu te tortures pour rien. Ça n'arrivera jamais. »

Outch. Après le récit de cet épisode pénible, j'attends l'inévitable torrent de larmes. Qui ne vient pas. Rien du tout. Na-da. J'en ai manqué un bout ou quoi ? Elle poursuit.

— Sur le coup, j'ai pensé mourir. La pitié était bien le dernier sentiment que je voulais lui inspirer. Puis j'ai ressenti… un soulagement. Il avait raison : je me torturais depuis si longtemps, le doute m'habitait sans cesse. Chaque minute où je me retrouvais seule avec mes pensées était consacrée à ce questionnement lancinant : allait-il ou non laisser sa femme ? Je cherchais des signes, j'analysais à n'en plus finir chacune de ses paroles, j'interprétais à mon avantage tout ce qu'il me racontait sur Marielle. Même si sa réponse, ce jour-là, n'a pas été celle que j'espérais, au moins je savais.

— Et vous êtes restée avec lui quand même.

— Oui. Je l'aimais, il était le centre de mon univers. Je ne pouvais pas imaginer ma vie sans lui, même si ce devait être à ses conditions. Je croyais que le fait de perdre tout espoir d'une vie commune m'anéantirait, mais ça a eu l'effet contraire. À partir de ce moment, j'ai connu le bonheur de vivre dans l'instant présent.

EMMA
Pouce en l'air et progrès

En quittant la terrasse du café, je me rends directement à l'hôtel. Madame Denoncourt a mon téléphone, et je veux être certaine qu'elle me trouvera rapidement à ma chambre après sa conversation avec Julianne.

Les yeux fixés sur ma montre, je suis soulagée de voir que le temps passe et qu'elle ne revient toujours pas. C'est un bon signe, je crois. Si sa fille avait refusé de lui parler, Marielle serait déjà de retour.

Quarante-cinq minutes plus tard, je reçois une confirmation inattendue. Louis-Joseph se pointe sans crier gare (évidemment), et ne me fait que deux signes : un pouce vers le haut, accompagné d'un clin d'œil complice.

Un coup discret à la porte m'apprend que ma cliente est de retour. J'ouvre doucement. Dès que Marielle m'aperçoit, elle laisse couler les larmes de joie qu'elle retenait depuis qu'elle avait quitté la terrasse du café Central. J'ai envie de lui faire un câlin, mais je ne suis pas certaine de sa réaction si je tente de la toucher. Finalement, devant mon hésitation, elle prend l'initiative.

Préjugé : l'étreinte donnée par une femme froide et dure sera froide et dure.

Réalité : l'étreinte, pleine de chaleur, laisse entrevoir son soulagement, son envie de s'abandonner à son nouveau statut d'être-humain-qui-ressent-de-jolies-émotions, et aussi sa reconnaissance.

— Emma, merci, dit-elle simplement en s'éloignant de quelques pas.

— J'en déduis que ça s'est bien passé ?

— Plus que bien. Assoyez-vous, je vous raconte tout.

On peut s'en dire, des choses, en moins d'une heure ! Ce n'est certainement pas suffisant pour rattraper des années de silence, mais bien assez pour commencer à rebâtir un pont entre deux personnes de bonne volonté. En gros, la conversation s'est répartie en dix pour cent d'excuses et de promesses d'une relation meilleure, soixante-quinze pour cent de rattrapage du temps perdu et de grossesse de Julianne, dix pour cent de testament de Louis-Joseph et ses conséquences immédiates, et finalement cinq pour cent de conclusion mystérieuse. Ce sont ces derniers quinze pour cent qui m'intéressent le plus, évidemment.

— Julianne était au courant pour Marcel, m'apprend Marielle.

— Ah oui ?

— Elle n'avait pas non plus l'air surprise de tout ce que je lui ai raconté sur nos aventures des dernières semaines. Elle a bien essayé de placer quelques « oh » et « ah » stratégiques, mais elle est comme vous, Emma, elle n'est pas très douée pour les faux-semblants. Maintenant que j'y pense, vous vous ressemblez sur plusieurs plans.

— Le plan qui veut votre bien, par exemple ?

— Par exemple, oui (dit-elle avec un grand sourire). Ce n'est donc pas surprenant que je me sois, hum…

— Oui ?

— Euh… attachée à vous.

Bon, ça va faire, les déclarations émotives. Il y a comme une limite au nombre de fois où je peux sentir mon cœur fondre en quelques jours. Je veux bien que la madame ait du temps à rattraper quant aux jolis sentiments humains, mais il va falloir que ça arrête. Mais non, je ne le lui dis pas. Je me contente de sourire, de presser gentiment sa main, et de la remettre sur la voie de ce qu'elle a à me raconter:

— Croyez-vous que Louis-Joseph avait informé les enfants de ses intentions?

— Je ne sais pas. C'est possible.

— Répétez-moi ce que Julianne a dit à la fin de votre conversation.

— Elle semblait hésitante, comme si elle choisissait consciencieusement les mots qu'elle allait utiliser, ce qui n'est pas dans ses habitudes. Elle a dit que ses frères seraient contents d'apprendre que nous avons eu une excellente conversation et que les choses semblaient avancer dans la bonne direction, et qu'ils voudront sans doute que ce soit leur tour très bientôt.

Marielle n'en est peut-être pas tout à fait consciente, mais je mettrais ma main au feu que les enfants sont au courant du détail des manigances de Louis-Joseph.

— J'y pense, Julianne a ajouté autre chose que je n'ai pas compris. Elle a dit: «Tu devrais prendre quelques jours pour visiter Paris. Mais ne t'éloigne pas trop de ton hôtel, quelqu'un pourrait vouloir communiquer avec toi.»

JOUR 11 – Perros-Guirec

JEAN-SIMON
Nez troué

TGV (Train à Grande Vitesse) jusqu'à Rennes, puis TTL (Train Très Lent) jusqu'à Lannion, puis taxi jusqu'à Perros-Guirec. Ça aurait été plus simple de louer une voiture, sauf que ni Angélique ni moi n'avions envie de nous retrouver sur les routes de la campagne française plus longtemps que nécessaire.

J'espère que mon instinct ne nous a pas lancés sur une fausse piste. Mais ça m'étonnerait. Angélique m'a brièvement parlé du reste de son voyage avec Louis-Joseph, et l'oratoire Saint-Guirec est de loin l'étape la plus significative pour elle.

L'impression d'être suivi ne m'a pas quitté, pourtant je n'ai pas réussi à repérer Chemise Rayée, qui doit avoir d'autres vêtements après tout.

Tard en soirée, le taxi nous a déposés devant un petit hôtel beau-bon-pas-cher. Ce n'est que ce matin, à la lumière du jour naissant, que je comprends pourquoi Angélique et Louis-Joseph ont tant aimé cette magnifique région qu'on appelle la côte de granit rose.

La réceptionniste de l'hôtel nous informe que la marée sera basse en début d'après-midi, alors nous attendons ce moment pour nous rendre à Ploumanac'h.

Angélique, anxieuse, est la première à atteindre la statue. Quelques personnes s'y trouvant déjà, nous patientons jusqu'à ce qu'elles disparaissent avant de commencer nos recherches.

Échec. Rien à la statue.

Décourageant, mais logique quand on y pense. Quelqu'un d'autre aurait pu trouver l'indice. Espérons seulement que ce n'est pas le cas.

— Bon, on fait quoi, maintenant ? s'impatiente Angélique.

— On réfléchit.

Les rochers de granit rose offrent de nombreuses possibilités de sièges relativement confortables. Je m'installe et je ferme les yeux un instant, pendant que ma cliente fait les cent pas sur la plage.

Je maintiens que la statue n'est pas entièrement une fausse piste. Elle est au cœur de cette étape importante dans la vie d'Angélique, et par le fait même dans celle de Louis-Joseph. Ce qui s'est passé après tient plus de l'intangible, une façon différente d'aborder la vie et leur relation. Il faut donc chercher avant l'épisode de la statue, remonter les étapes concrètes qui ont mené à celle-ci.

— L'aubergiste !

Ça, c'est Angélique qui me dame le pion. Elle court pratiquement jusqu'à moi, fière de son idée.

— C'est elle qui m'a remis l'aiguille, elle est directement impliquée dans la suite des choses. Allons la voir !

— J'allais le dire.

Je me sens idiot de le mentionner, mais je ne peux m'en empêcher. C'est ça ou je trouve un autre filon pas rapport, juste pour avoir mon mot à dire. J'avais enfin mon utilité, je suivais une piste sérieuse par la simple force de mon esprit de déduction, et madame se permet de trouver la solution une fraction de seconde avant moi. Fait chier.

Nous rejoignons sans peine l'hôtel des Rochers, l'a-do-rable auberge dont Angélique se souvient si bien dans le moindre détail.

Comme Emma l'exprimerait sans doute, on dirait que les étoiles sont alignées. L'aubergiste qui avait donné l'aiguille à

Angélique est à son poste à la réception, occupée à expliquer à une famille de touristes allemands où se trouve le dolmen le plus proche. Les touristes s'en vont en consultant une carte, et l'aubergiste nous fait signe en agitant une enveloppe avec un air coquin.

— Vous cherchez quelque chose, peut-être, madame Angélique?

— Vous vous souvenez de moi?

— Mais bien entendu. Quel plaisir de vous revoir!

La corpulente dame gesticule à qui mieux mieux, secouant sans ménagement sous notre nez la raison de notre visite. Une autre qui a une mémoire d'éléphant et qui ne se gêne pas pour la partager avec tout le monde, révélant une détaillite aiguë. En résumé, Marcel est passé la voir il y a un mois jour pour jour et lui a remis la lettre. Je vous épargne le temps qu'il faisait, ce que Marcel portait, et combien de chambres étaient occupées à ce moment.

Même Angélique est sur le point de perdre patience quand, enfin, l'enveloppe lui est remise. C'est précisément à ce moment que je le remarque: Chemise Rayée porte maintenant une chemise à carreaux.

JOUR 12 – Paris

EMMA
Lâcher prise (encore)

La nuit porte peut-être conseil, mais elle n'apporte pas toujours de réponse. Madame Denoncourt et moi petit-déjeunons (encore) à l'hôtel, et je demande pour la énième fois :

— « Quelqu'un pourrait vouloir communiquer avec toi » ? C'est tout ? Vous êtes certaine ?

— Certaine. Elle a raccroché sans rien ajouter.

Lâche prise, Emma, lâche prise. Je le sais, il n'y a rien que je puisse faire. Mon cerveau continue néanmoins à s'emballer.

Premièrement, ça confirme ce que je soupçonnais : les enfants sont au courant de toutes les manigances de leur père. Deuxièmement, ça signifie que la mort de Marcel ne met pas fin à la course. Et troisièmement, je n'ai pas de nouvelles du Grand Baveux depuis trois jours.

OK, le troisièmement n'avait pas rapport avec les autres.

TOUJOURS JOUR 12 – Toujours Perros-Guirec

JEAN-SIMON
La barbe

Je l'aborde, je ne l'aborde pas. Je l'aborde, je ne l'aborde pas.

Aucun doute, c'est lui. Sur la terrasse du café Trésor, j'ai pris tout un tas de notes mentales sur son apparence physique, prévoyant que la chemise rayée risquait de disparaître. La première chose que j'avais remarquée, c'est qu'il se grattait souvent la barbe, comme quelqu'un qui n'a pas l'habitude de la porter.

Mon hésitation est double : un, je ne veux toujours pas alarmer Angélique, et deux, je ne me sens pas menacé par la présence du suiveux. Peut-être parce qu'il est visiblement nul en filature, ce qui élimine la possibilité d'un tueur à gages lancé à nos trousses.

C'est plus fort que moi. Profitant du fait qu'Angélique est absorbée par la lettre, je m'approche de lui discrètement, tellement qu'il sursaute lorsque je lui murmure à l'oreille :

— Je ne sais pas qui vous êtes ni ce que vous voulez, mais je sais que vous nous suivez. Si vous voulez me parler, attendez que je sois seul.

J'ai envie de rire de la rougeur qui envahit son visage et de ses yeux écarquillés par la stupeur, mais je me contente de lui donner une gentille tape sur l'épaule avant d'aller rejoindre Angélique. Je dois dire que je suis assez fier de moi.

— C'était qui ? demande Angélique

— Oh, personne. Il ressemblait à un de mes anciens clients.

— Il me dit quelque chose à moi aussi, mais je n'arrive pas à mettre le doigt dessus.

Hum. Intéressant. Raison de plus pour vouloir que l'homme vienne me parler.

— Alors, Angélique, vous avez un nouvel indice ?

— Tenez, lisez par vous-même !

Très chère Ange,

Que de souvenirs dans cette belle région ! J'étais certain que tu comprendrais tout de suite lorsque j'ai mentionné une étape importante dans ma dernière lettre.

C'est ici que tu as su que je ne quitterais pas Marielle. C'est ici que j'ai compris que je me devais de te le dire une fois pour toutes. J'avais peur de le faire, je croyais que tu allais me quitter. Mais à ce moment, ton avenir m'importait plus que le mien. Je voulais que tu prennes la meilleure décision pour toi, peu importe les conséquences pour moi.

Pour la prochaine étape, retourne à Paris. Marcel te contactera.

Louis-Joseph

Marcel te contactera. Super. Eh merde.

TOUJOURS JOUR 12 – Toujours Paris

EMMA
Un séjour parmi les fantômes

Lâcher prise est difficile, mais drôlement plus agréable lorsqu'on se retrouve à Paris avec beaucoup de temps libre. Marielle a mon numéro, elle m'avertira s'il se passe quoi que ce soit. Moi, je fais ce dont je rêve depuis que je suis ici : marcher sans but jusqu'à ce que mes jambes ne me supportent plus.

J'aimerais me rendre au cimetière du Père-Lachaise et voir si Jim Morrison a envie de jaser, mais j'ai peur d'être assaillie par tous les autres qui y font dodo pour l'éternité.

Impossible de visiter Paris en laissant de côté sa riche histoire. Elle est partout, à tous les coins de rue, et ramène à l'esprit des informations qu'on croyait inutiles jusque-là. Je marche avenue de l'Opéra, tourne à gauche sur le boulevard des Capucines, et vlan! Le café de la Paix, qui a connu Proust, Maupassant, Zola et Hemingway. Aucune idée pourquoi je sais tout ça, mais je le prends comme un signe qu'y boire un café me ferait le plus grand bien.

L'air bête qui prend ma commande récite le menu du jour comme quelqu'un qui l'aurait répété presque mille fois, ce qui est sans doute le cas. J'ai l'extrême gentillesse de lui permettre d'atteindre le mille en lui demandant de recommencer, j'avais la tête ailleurs. Il serait préférable que je change d'idée pour ma commande, il est plus difficile de cracher dans une bouteille de Perrier fermée que dans une tasse de café.

Je surprends le regard hilare d'un autre client, qui détourne immédiatement les yeux. Dommage, j'aurais bien aimé discuter avec un inconnu mignon et plein d'humour. Bien que passer du temps avec Marielle se soit avéré étonnamment agréable, je me retrouve avec un surplus de blagues sarcastiques à sortir de ma tête, et je ne sais pas où est Jean-Simon, ma cible favorite. Je n'ai aucune nouvelle de lui depuis que madame Denoncourt l'a cavalièrement éconduit. Il n'a même pas répondu au texto que je lui ai envoyé. Il faut dire que j'aurais pu être plus plaisante.

Je laisse mon esprit divaguer loin de mes préoccupations terriennes et décide de boire mentalement mon Perrier avec Marlène Dietrich, une autre ex-habituée du café de la Paix. Je n'ai pas le temps de lui parler de sa vie amoureuse, Louis-Joseph fait son apparition dans ma tête.

Non seulement il se pointe, mais il pointe. Quoi au juste ? Son doigt tendu est dirigé vers quelque chose (ou quelqu'un ?) situé non loin de moi. Il insiste, mais je ne sais toujours pas à quoi il fait référence. Il place ensuite ses bras comme s'il berçait un bébé, puis désigne à nouveau... l'inconnu mignon ?

TOUJOURS JOUR 12 – Direction Paris

JEAN-SIMON
Révélations

— J'aurais aimé lire la dernière lettre dont Loulou parle, pleurniche Angélique. Je sais que nous n'avons pas eu besoin de l'indice qui s'y trouvait, mais Loulou me fait toujours des confidences dans ses lettres.

— Oui, d'accord, sauf que plus important encore, on est à nouveau bloqués !

— Je sais.

Nous nous tapons le trajet en sens inverse dans un train de nuit. Ce serait sans doute un bon moment pour poursuivre le coaching d'Angélique. Malheureusement pour elle, je n'en ai aucune envie. Pas envie non plus de répondre au texto d'Emma. Son « Tu fais quoi, tu boudes ? » ne m'inspire pas vraiment de réponse adéquate.

Barbe Qui Pique est lui aussi dans le train, je viens de le voir marcher dans l'allée. Il a dépassé nos sièges, s'est tourné, s'est assuré qu'Angélique regardait ailleurs et m'a fait un discret signe de la tête m'invitant à le suivre. Je lui laisse quelques minutes d'avance et je me lève.

Il a trouvé quatre sièges libres avec une table au centre et s'y est installé. Il a l'air nerveux, le monsieur. Parfait. J'ai envie de passer à l'attaque, mais je m'assois plutôt face à lui sans dire un mot, attendant patiemment qu'il se décide à parler. C'est souvent la meilleure tactique pour un, mettre l'autre mal à l'aise, et deux, le forcer à révéler ce qu'il aimerait garder sous silence.

— Merci d'avoir accepté de me suivre, dit-il avec un faible sourire.

— Ce serait plutôt à moi de vous dire ça.

— Je n'ai pas fait une très bonne job, on dirait, s'excuse-t-il.

— Ça dépend de l'objectif : si vous vouliez ne pas perdre notre trace, c'est réussi. Si vous vouliez le faire discrètement, c'est raté.

— Angélique ne m'a pas reconnu ?

— Elle vous a aperçu à l'hôtel et vous lui avez semblé familier, mais sans plus. Alors, vous êtes qui ?

— François Denoncourt, fils de Louis-Joseph.

C'est fou, mais je ne l'avais pas vue venir, celle-là !

— Et pourquoi nous suivez-vous ? Vous voulez mettre la main sur l'héritage ?

— Pas du tout, j'ai déjà touché ma part, plus que substantielle d'ailleurs. En fait, je suis là pour m'assurer que vous vous rendiez au bout de la quête.

— Depuis quand êtes-vous impliqué dans tout ça ?

— Depuis le début.

EMMA
Le (mignon) fils de l'autre

Donc, si je comprends bien, l'inconnu mignon est l'un des fils de Louis-Joseph. Je ne vois pas d'autre explication plausible. Autant en avoir le cœur net.

— Tu es un des fils de Louis-Joseph Denoncourt?

— Dis donc, tu n'y vas pas par quatre chemins, toi!

— Désolée. Bonjour! Ça va? Tu es un des fils de Louis-Joseph Denoncourt?

— Absolument. Comment t'as su?

— Ton père vient de me le dire.

— Ah bien sûr, j'aurais dû deviner.

Quoi? Pas de sarcasme dans sa voix? Pas même la moindre parcelle de mépris?

— Tu veux t'asseoir, Emma? Je m'appelle Charles. Je vais t'expliquer pourquoi je te filais.

— Tu me suivais?

— Bien entendu! Je ne suis pas ici par le fruit du hasard, crois-moi. C'est la première fois aujourd'hui que je peux te suivre de plus près sans risque d'être reconnu par ma mère.

Je me trouve nulle de ne pas m'être rendue compte que j'étais suivie. Mais surtout, je suis sous le charme du fiston. Tout le portrait de son sympathique papa, moins la moustache, plus les yeux verts. Et une énergie contagieuse. Et l'absence d'un petit nuage noir au-dessus de la tête, contrairement à bien des hommes. Marielle, vous voulez bien être ma belle-maman ?

— Et tu nous files depuis quand ?

— Pas très longtemps. Depuis la mort de Marcel.

Je sens l'émotion dans sa voix, et je comprends que Marcel était sans doute quelqu'un d'important pour les trois enfants de Louis-Joseph.

— Tu l'aimais beaucoup, je me trompe ?

— Il a toujours fait partie de nos vies. Il nous déposait à l'école le matin, venait nous chercher presque tous les jours, selon ses disponibilités. Et nous avions vraiment l'impression qu'il le faisait pour le plaisir de passer du temps avec nous, pas par obligation professionnelle.

— Je ne l'ai pas beaucoup connu, mais il m'a semblé être un homme bon.

Un ange passe (Hemingway, c'est toi ?). Je laisse à Charles l'odieux de reprendre une conversation normale après cette pause tristounette.

— Lorsque nous avons appris la mort de Marcel, Julianne, François et moi n'avons eu d'autre choix que de prendre le relais pour nous assurer que la dernière volonté de notre père serait exaucée.

— Ça confirme ce que je pensais, vous étiez au courant de toute l'histoire.

— Plus qu'au courant, nous avons participé à l'organisation. Tout était prévu, sauf la disparition de notre représentant sur place, qui nous tenait au courant à chaque étape. Après l'accident, François et moi avons sauté dans le premier avion.

— Ton frère est ici aussi ?

— Il suit la trace d'Angélique et de son détective. Pauvre François, il a pris son rôle très au sérieux, se laissant même pousser la barbe pour éviter qu'Angélique ne le reconnaisse. Sauf qu'aux dernières nouvelles, il a été démasqué par le détective dans un hôtel breton.

Tiens donc, le Grand Baveux est en Bretagne.

— Alors, on fait quoi, maintenant?

— Mon père m'a un peu devancé, je devais attendre qu'Angélique soit revenue à Paris avant de vous aborder, ma mère et toi.

Y'a comme quelque chose qui ne colle pas, dans cette histoire.

— Mais puisque tu savais que ta mère et moi devions rester à Paris et attendre que quelqu'un communique avec nous, pourquoi m'as-tu suivie aujourd'hui? Tu devais bien te douter que je finirais par retourner à l'hôtel.

— Effectivement.

Charles a hérité de sa mère le talent de concentrer tout un tas d'informations dans un seul mot, un seul sourire, un seul regard: légèrement embarrassé, il me fait comprendre qu'il m'a suivie parce qu'il en avait envie, parce que je lui plais (ah oui?).

JOUR 13 – Toujours en direction de Paris

JEAN-SIMON
Ficelles

Je me réveille d'une courte sieste avec la même préoccupation que lorsque je me suis endormi. Les enfants sont non seulement au courant, ils ont aidé leur père à tout manigancer. J'en ai manqué un bout? Aurais-je dû m'en douter? Je savais déjà que les enfants devaient bien soupçonner que quelque chose se tramait, puisque le testament de Louis-Joseph contenait le premier indice qui a tout déclenché. Mon erreur a été de faire abstraction de cette information.

Mais au fond, ça aurait changé quoi, de le savoir? Pas grand-chose, finalement. Nous avons été manipulés comme des pantins, peu importe qui tirait les ficelles.

François m'a donné comme dernière instruction de ne rien dire à ma cliente et d'attendre qu'il nous contacte une fois à Paris.

Angélique se réveille à son tour, et je me sens d'attaque pour une petite séance de coaching. On approche du but, ça se sent. Je dois m'assurer d'avoir accompli ma mission.

— Je repensais à ce que vous disiez, hier soir. C'est vrai que ça aurait été bien si vous aviez pu lire la lettre manquante. Mais je pense quand même qu'en attendant d'avoir un nouvel indice, vous avez suffisamment de pistes à explorer avec celles que vous avez en main.

— Que voulez-vous dire par « pistes à explorer »? C'est ce qu'on fait, non? On cherche des indices et on résout les énigmes, non?

Merde, mauvaise approche, pour faire changement. Moi et ma grande gueule. Ma joueuse n'est au courant que de ce qu'elle a à faire sur le terrain, pas de la stratégie générale élaborée par Louis-Joseph. D'un autre côté, si je veux qu'elle atteigne avec succès la zone du panier, je dois lui dire d'arrêter de se débarrasser du ballon.

— Ce que j'essaie de dire, c'est que si Louis-Joseph ne tenait simplement qu'à vous transmettre des indices, c'est ce qu'il ferait. Il ne prendrait pas le temps de vous parler d'autre chose, de votre relation, des répercussions qu'elle a eues sur votre personnalité. Je ne crois pas qu'il s'agissait simplement de « confidences », comme vous dites.

— Vous croyez qu'il voulait aussi me faire réfléchir ?

— Précisément.

L'idée fait lentement son chemin dans l'esprit de ma cliente. Plongeant la main dans son sac, elle en ressort les deux lettres et les regarde comme si elle les voyait pour la première fois.

JOUR 13 – Paris

EMMA
Panique tout à fait assumée

Je me réveille en souriant, mes pensées se tournant naturellement vers la soirée d'hier. Je ne crois pas que Charles s'attendait à se faire planter là. Pourtant, c'est bien ce que j'ai fait. J'ai bredouillé une excuse pas trop plausible et je suis partie.

Je ne me fais pas d'illusions, je sais exactement de quoi il s'agit : panique irrationnelle à l'idée de rencontrer enfin quelqu'un qui me plaît vraiment et qui risquerait de remplacer Alexandre dans mon cœur. Et vous savez quoi ? J'assume.

En marchant vers l'hôtel, hier soir, j'ai compris que je me trouvais dans une situation délicate : je ne peux pas dire à Marielle que j'ai rencontré son joli fiston, je dois attendre que les enfants se décident à la contacter.

Ils attendent quoi, d'ailleurs ? J'aurais dû poser la question à Charles au lieu de me pâmer devant son sourire coquin, ses cheveux noirs un rien trop longs, ses yeux rieurs, sa voix chaude et caressante, sa…

Ding ! Texto du détecteux : « Nous sommes revenus à Paris. »

JEAN-SIMON
Au coin (bis)

Nous avions libéré nos chambres de l'hôtel du Champ de Mars avant de partir pour la Bretagne, et il est maintenant complet. La jolie Charlotte qui officiait à la réception avait accepté de garder nos valises, nous permettant de voyager léger. Il nous faut maintenant trouver un nouvel endroit où dormir. Charlotte nous informe que le Grand Hôtel Lévêque est la meilleure option dans le coin, et s'occupe d'aviser le personnel de notre arrivée. Tant pis pour ce qu'en diront Emma et sa cliente, l'hôtel ne leur appartient pas, après tout.

Angélique est préoccupée par toutes ces dépenses, et je la comprends. Elle ne sait pas si elle mettra la main sur l'héritage, et malgré l'assurance que j'affiche, je ne peux rien lui promettre.

Nous nous rendons à pied sur la pittoresque rue Cler, et pendant que nous roulons tant bien que mal nos valises sur les pavés inégaux, un François Denoncourt rasé de près nous suit à bonne distance et ne peut s'empêcher de m'envoyer la main lorsque je l'aperçois. Il ne fait aucun effort pour nous rattraper, mais il est accompagné d'un homme que je soupçonne être son frère. J'en déduis que le moment de nous contacter officiellement approche.

— Vous déménagez ?

Emma est plantée devant nous, souriante.

— Je suis contente de tomber sur vous. Angélique, je peux vous parler en privé ?

— Pourquoi en privé? dis-je, mécontent de me faire mettre à l'écart.

— Aveç plaisir, Emma. Jean-Simon, voici ma carte de crédit et ma valise. Vous voulez bien nous enregistrer à l'hôtel pendant que je vais prendre un café avec Emma?

EMMA
Impossible de m'en empêcher

Bien que ce soit la première fois que je me retrouve seule avec Angélique, nous bavardons déjà comme de vieilles copines lorsque le serveur du Central nous apporte nos cafés. Deux vieilles copines qui se vouvoient, mais quand même.

— Emma n'est pas un prénom commun pour quelqu'un de votre génération, vos parents étaient originaux!

— Si seulement c'était ça. En fait, mon vrai nom est Emmanuelle, je l'ai changé quand je me suis tannée de subir les railleries à cause des films érotico-poches de l'époque.

— Je n'ai jamais vraiment aimé mon prénom non plus, jusqu'à ce que je rencontre Loulou et qu'il me surnomme Ange.

— Justement, c'est un peu de ça dont je voulais vous parler.

— Je vous écoute.

— Louis-Joseph m'a montré des symboles qui vous étaient adressés lorsque nous étions à Neuville-sur-Vanne. J'ai fortement ressenti que c'était un message personnel, et non un indice pour la suite de l'enquête. Malgré tout, je n'ai pas pu vous le révéler avant, je devais demander la permission à Marielle.

— Je comprends. Votre professionnalisme vous honore. Et elle vous l'a accordée? Vraiment?

— Elle n'est plus la même femme, Angélique. Ce voyage l'a vraiment changée.

— Tant mieux pour elle. Alors, ce message?

— Louis-Joseph m'a montré un ange, un vieux bouquin recouvert de cuir et une fenêtre. Comprenez-vous ce qu'il essaie de vous dire?

— Oui.

— Vous ne voulez pas que je vous aide à interpréter?

— Ce ne sera pas nécessaire, merci.

Pas nécessaire? Wow! On dirait que le voyage en Bretagne a été propice à du coaching en bonne et due forme! Je m'attendais à ce qu'Angélique, paniquée, me bombarde de questions et demande mon avis sur toutes ses réflexions.

— Vous croyez que je devrais suivre la recommandation de Louis-Joseph?

Ah tiens, pas si coachée que ça, finalement. Me semblait, aussi.

— Désolée, Angélique, je ne sais pas de quelle recommandation il s'agit.

— C'est vrai, vous ne pouvez pas vraiment comprendre les symboles sans une explication.

— Même si vous m'expliquiez de quoi il s'agit, vous êtes la mieux placée pour juger.

— Je sais bien, mais c'est difficile.

— Je comprends.

Ce n'est pas ma job, ce n'est pas ma job, ce n'est pas ma job. Quoique...

— Angélique, avez-vous des amies proches?

— Pas beaucoup. La plupart, je les ai mises de côté à cause de ma relation avec Loulou. Comme je ne savais jamais à quel moment il allait être disponible, j'ai fini par arrêter de faire des plans. Il m'en reste deux, plus ma sœur.

— Prenez quelques minutes pour vous imaginer que l'une d'elles se trouve dans votre situation, et qu'elle demande votre avis. Quelle serait votre réponse? Ne me le dites pas! Réfléchissez-y seulement.

Ça a l'air douloureux. Froncements de sourcils, soupirs, grattage de crâne, je peux presque voir le petit hamster rouler frénétiquement dans son cerveau. Finalement, l'illumination.

— Je sais ce que je lui répondrais !

— Parfait. Maintenant, donnez-vous la même réponse. Et suivez cette même démarche chaque fois que vous avez une décision à prendre. Au fin fond de vous-même, vous savez ce qui est bon pour vous. Il suffit de vous écouter un peu plus souvent.

JEAN-SIMON
Résultats spectaculaires

Angélique m'a donné rendez-vous à la crêperie Ulysse, à deux pas de notre nouvel hôtel. Elle ne m'a pas demandé où je voulais aller, ni de quoi j'avais envie. Elle a pris la décision toute seule comme une grande. C'est du progrès, ça, madame !

— Vous aviez une envie de crêpes ?

— Au fin fond de moi, je savais que ce serait bon pour moi. J'ai décidé de m'écouter un peu plus souvent.

Euh… Ah bon ? Un peu intense pour un simple plat de crêpes, il me semble.

— Angélique, que prévoyez-vous faire en attendant qu'on communique avec nous ?

— Personne ne va communiquer avec nous, Jean-Simon. Marcel est mort !

Bravo, champion. Vite, rattrape-toi ! Si je ne veux rien dévoiler, je n'ai pas le choix de mentir.

— Oui, je sais bien que Marcel est mort, mais peut-être qu'il transmettra un message à Emma ?

— Comment ? Essayez-vous de me dire que vous croyez maintenant à son don ?

— Y croire est un bien grand mot, mais il me semble que c'est notre seul espoir, en ce moment.

— Donc, vous y croyez. Je suis renversée ! Et très fière de vous, Jean-Simon. C'est difficile d'admettre qu'on avait tort et de s'ouvrir à des croyances qu'on ne comprend pas. Bravo !

Impossible de nier sans dévoiler le pot aux roses. Mon orgueil en prend un coup. Je déteste avoir l'air d'un imbécile qui se laisserait abrutir par de telles convictions.

Mais aux yeux de qui, au juste?

Angélique y croit, alors ce n'est pas comme si je baissais dans son estime, au contraire. La seule autre personne qui entend la conversation, c'est moi. Emma m'a déjà dit que j'étais trop dur avec moi-même. Hum.

Fin de la réflexion.

— Vous n'avez pas répondu à ma question, Angélique. Qu'allez-vous faire en attendant que quelque chose débloque?

— Je vais aller magasiner toute seule pour la première fois de ma vie.

— Que voulez-vous dire, pour la première fois?

— Exactement ça! Je me suis toujours fait accompagner lorsque j'avais besoin de nouveaux vêtements, par ma sœur, une amie, ou Louis-Joseph. Aujourd'hui, je suis à Paris, et j'ai envie de magasiner toute seule. Au fond de moi, je suis capable de savoir ce qui est bon pour moi, et je dois m'écouter un peu plus.

Mais c'est qu'elle radote, la madame! Je ressens tout de même une charmante satisfaction: mon coaching a fonctionné.

EMMA
Un télégramme avec ça ?

J'entre dans ma chambre avec une idée bien précise : une petite sieste me fera le plus grand bien. Meilleure chance la prochaine fois : tous mes moyens de communication sont pris d'assaut au moment exact où je m'apprête à sauter sur le lit : l'indicateur de message texte fait entendre son « ding », le téléphone de la chambre sonne et on cogne à ma porte. Manque plus que Louis-Joseph et c'est complet. Ah, tiens, le voilà.

Message de Louis-Joseph : *Rendez-vous au restaurant...* Trois lèvres ? Trois bouches ? Trois becs ?

Texto de Jean-Simon : « Rends-toi au restaurant Tribeca. »

Appel de Marielle : « Nous sommes convoquées au restaurant Tribeca. »

Toc toc à ma porte : Charles est là. Aucune idée de ce qui sort de sa bouche, la surprise me rend sourde, mais j'imagine qu'il me dit d'aller au restaurant Tribeca.

Je plante Charles là (encore une fois) et passe chercher Marielle à sa chambre deux étages plus bas, le cœur battant. La fin approche.

Le restaurant (est-ce que j'ai dit que c'était le Tribeca ?) se trouve à quelques pas de l'hôtel. J'ai tout de même le temps de me demander quatorze fois si j'ai bien rempli ma mission de coach, si Marielle est prête. Prête à quoi, au juste ? Aucune idée. On le saura bien assez tôt.

JEAN-SIMON
Compétitif ?

Je vois le temps s'écouler sur le chrono, la partie est sur le point de se terminer. Ma joueuse sera bientôt seule face au panier, et j'espère sincèrement que mon coaching aura été suffisant. Autant pour elle que pour moi. Je veux ma part du magot, je la mérite.

Angélique et moi étions attablés quelques portes plus loin lorsque François m'a fait signe que nous devions le suivre. Ma cliente n'a pas trop compris ce qui se passait, jusqu'à ce qu'elle reconnaisse enfin le fils (rasé) de son défunt amant. Sa stupeur l'empêche de poser les douzaines de questions qui s'entrechoquent dans sa tête, alors elle s'assoit sagement sur la terrasse du Tribeca, la bouche toujours ouverte.

François m'apprend que les autres devraient nous joindre sous peu. J'en déduis qu'Emma a déjà été contactée, mais je lui texte quand même l'endroit du rendez-vous, histoire de laisser entendre que je l'ai appris avant elle.

L'heure des grandes révélations a sonné.

EMMA

Ça sent la coupe

Angélique et son détecteux sont déjà là, accompagnés d'un homme que je ne connais pas, mais qui doit être François. Marielle prend quelques secondes avant de reconnaître son fils, qui s'empresse de venir à notre rencontre. Je les laisse à leurs retrouvailles, et je sens sans même les regarder qu'ils s'étreignent chaleureusement en silence. Au moment où je m'assois, face à la rue, Charles se joint au câlin et faire rire sa mère. Puis Julianne, sortie de nulle part, se fraye une place dans les bras de tout le monde. La scène est magnifique, même Angélique essuie une petite larme. Jean-Simon me regarde et lève silencieusement son verre dans ma direction, signifiant ainsi qu'il reconnaît que mon coaching a porté ses fruits.

Aux yeux des passants de la rue Cler, nous avons sans doute l'air d'une gentille famille qui s'aime et qui se retrouve régulièrement et avec plaisir autour d'un bon repas. La réalité, c'est que nous sommes ici avant tout pour conclure la chasse à l'héritage.

Charles est le premier à tenter de briser le silence. Il ouvre la bouche, cherche ses mots, la referme, l'ouvre à nouveau, puis baisse les bras, mimant un comique découragement. Nous éclatons tous de rire ; même Jean-Simon le taciturne se laisse emporter par l'hilarité générale. Charles trouve enfin quoi dire :

— Vous comprendrez que les mots se bousculent à la sortie. Un, je suis extrêmement content de vous voir. Nous n'avions aucune certitude que vous alliez vous rendre jusqu'ici, et nous sommes vraiment fiers de vous. Deux, je viens de serrer ma mère dans mes bras pour la première fois depuis des années, et ça, ça n'a pas de prix. Trois, je sens vraiment que c'est le début d'une nouvelle époque, un tournant important pour notre famille. Quatre, je ne peux m'empêcher de penser que Papa devrait être ici avec nous. À moins que… Emma ?

— Il est là, il fait dire bonjour à tout le monde. Marcel aussi, d'ailleurs.

— Merci, Emma. Maman, Angélique, je sais que nous vous avons fait passer par toute une gamme d'émotions, et que vous avez sans doute hâte que cette aventure soit terminée. Mais nous allons vous demander de faire un dernier effort.

Marielle est assise entre ses deux fils, un joli sourire idiot sur le visage. Elle pose un regard plein de tendresse et de fierté sur Julianne et son petit bedon. Et je comprends à ce moment que ma cliente n'a plus rien à foutre de l'héritage.

JEAN-SIMON
Fillite aiguë

Les instructions sont claires : Angélique et Marielle doivent réussir la prochaine étape toutes seules comme des grandes.

À voir le visage coquinement rayonnant de Julianne lorsque, avec ses frères, elle a expliqué l'étape en question, je suis prêt à parier que l'idée vient d'elle.

Angélique, Marielle,

Je suis tellement fier de vous, l'objectif est presque atteint !

Vous devrez accomplir la prochaine épreuve sans aide extérieure. Vous n'en aurez pas besoin de toute façon, elle est toute simple. Marcel vous remettra à chacune un appareil photo. Vous avez deux heures pour prendre dix photos qui représentent quelque chose de significatif pour vous, que ce soit dans votre passé, dans votre présent ou dans votre avenir. Ça pourrait être, par exemple, l'enseigne d'une boutique dont le nom vous rappelle un souvenir cher, ou un endroit qui symbolise bien un objectif à atteindre. L'important, c'est que l'ensemble des dix photos VOUS représente, et personne d'autre. Je compte sur votre honnêteté.

Vous êtes ensuite attendues au jardin des Tuileries. À partir du Louvre, entrez dans les jardins, et suivez l'allée centrale.

Vous saurez où vous arrêter. La première arrivée sera couronnée gagnante.

Louis-Joseph

C'est n'importe quoi.
— Mais non, c'est pas n'importe quoi! s'insurge Emma.
Nous marchons vers le point de rendez-vous, avec l'option de visiter le Louvre si le temps nous le permet. Je n'avais pas conscience de m'être exprimé à voix haute.
— Au contraire, c'est brillant! insiste Emma.
— Oh… je meurs d'envie d'entendre ton explication.
— Penses-y: les photos qu'on prend, même comme touriste, sont un reflet de qui nous sommes, de ce qui nous intéresse, de ce qui nous parle.
— Toi, tu prendrais des photos de fantômes?
— Nono. Ce que j'essaie de dire, c'est que c'est la conclusion parfaite pour toute cette aventure: Angélique doit, sans demander l'avis de personne, prendre les photos qu'ELLE veut prendre, et se pencher sur ce qui la définit vraiment aujourd'hui.
— Et Marielle?
— Marielle doit se tourner vers l'extérieur, arrêter de regarder son nombril et ses malheurs, s'ouvrir à la vie qui l'entoure et apprendre à exprimer ce qu'elle ressent.
— Avec des photos.
— C'est symbolique, bordel!
— Bien content de ne pas être dans leurs souliers. J'aurais pris n'importe quoi et me serais pointé à l'arrivée avec une heure d'avance.
— C'est désolant que tu n'aies rien compris. J'aurais pensé que les dernières semaines t'auraient au moins appris l'importance d'évoluer dans la vie, de ne pas rester pris dans ses toiles d'araignées.

Elle fait chier avec son ton moralisateur. Mais ce qui me dérange encore plus, c'est qu'elle a raison. Mon réflexe face à des situations de ce genre est toujours le même : c'est con, c'est quétaine, c'est une affaire de filles, croissance personnelle mon cul, je suis qui je suis et personne ne me changera. Mais en toute honnêteté, je ne peux pas nier l'évidence : cette expérience m'a beaucoup appris.

Quoi, au juste ? Que je suis un coach médiocre, c'est clair. Certainement aussi que les gens sont plus complexes qu'il n'y paraît. Je maintiens qu'on ne peut pas changer du tout au tout (j'ai une tête de cochon), mais je crois que nous possédons tous un certain nombre de caractéristiques déterminées qu'on choisit ou non d'exploiter au fil du temps, et que certains traits ignorés auparavant peuvent, si on y tient, refaire surface.

Je fais part de ma réflexion à Emma, qui l'accueille à bras ouverts avec des pompons de meneuse de claques.

— Exactement ! Wow, monsieur le cynique, tu m'impressionnes.

— OK, OK, n'en met pas trop, la coach.

— Y'a pas autre chose que t'aimerais me dire ? Un apprentissage auquel tu ne t'attendais pas, qui ébranlerait tes croyances ?

— Tu veux vraiment l'entendre de ma bouche, c'est ça ?

— Seulement si tu veux.

— Bon, d'accord (gros soupir). Les récents événements me poussent à croire qu'il existe POTENTIELLEMENT une autre dimension où évoluent les gens une fois qu'ils sont morts, et que certaines personnes sont PEUT-ÊTRE capables de communiquer avec eux.

— Merci, vraiment.

— Ça te satisfait, malgré le manque de certitude ?

— Je n'ai pas besoin de certitude, moi-même j'ai parfois du mal à y croire et je me questionne sur ma santé mentale. Tout ce que j'espérais, c'est que tu t'ouvrirais à une possibilité qu'autrefois tu réfutais sans équivoque.

— Réfutais sans équivoque? Tu as lu un dictionnaire récemment?

— Oui, je sais, c'est la première fois que je l'utilise, celle-là. Je l'aime bien, je pense que je vais peut-être essayer de m'en servir plus souvent. Comme taciturne, proroger, atermoiement et conciliabule.

— J'aime ça quand tu fais ça, je vais peut-être essayer de te copier, à l'avenir.

— Essayer d'utiliser des nouveaux mots?

— Non, changer adroitement la conversation au lieu de t'éterniser sur un sujet qui met l'autre mal à l'aise.

— Oh. Je trouve juste que des fois, c'est pas nécessaire de prolonger les moments embarrassants.

— Alors tu évites de proroger le conciliabule pour rien.

— Exactement.

EMMA
Conciliabule avec le (mignon) fils de l'autre

Il nous reste un peu plus d'une heure avant le rendez-vous au point de ralliement. Le temps est magnifique, je n'ai aucune envie de m'enfermer dans le Louvre, que j'ai déjà visité à quelques reprises de toute façon. Je laisse Jean-Simon courir pour tenter d'apercevoir la minuscule Mona Lisa à travers la horde de touristes, et je continue à marcher.

— Si je te parle, vas-tu encore me planter là ?

Charles est derrière moi.

— Ça dépend de quoi tu veux discuter.

— Je veux comprendre comment tu communiques avec les morts.

Alors nous marchons, et j'explique. Généralement, j'ai mon exposé tout prêt que je sers à tout le monde. Pour une raison que j'ignore, je ne l'utilise pas. Je n'ai pas envie de résumer, de réduire la chose à sa plus simple expression. J'ai envie d'en parler avec mon cœur à quelqu'un qui, je pense, a vraiment envie de comprendre.

— C'est une grosse responsabilité, dit-il quand le torrent de paroles s'arrête.

— Je sais. C'est probablement l'aspect le plus difficile à gérer.

— J'ai déjà consulté une voyante avec mon père, elle utilisait les cartes pour exprimer ce que les esprits lui dictaient. J'ai aussi

231

déjà assisté à une séance de spiritisme. Ta façon de procéder est différente, mais me semble plus… intéressante ?

— J'essaie de ne pas porter de jugement sur les autres devineux, je serais bien mal placée pour le faire. Les méthodes varient d'un à l'autre, tout comme les gens communiquent différemment par la parole, les gestes, les arts. Chacun son truc.

— Il y a quand même des charlatans dans le lot.

— Ah ça, il y en a des tonnes ! J'ai des clients qui m'ont raconté des histoires incroyables. Ce n'est pas bien difficile : une fois que tu as quelques minutes pour observer ton client et l'écouter, et que tu sais à qui il aimerait parler dans l'au-delà, tout ce dont tu as besoin, c'est d'une liste de généralités que tu adaptes selon les circonstances pour lui servir ce qu'il veut entendre. Mais ça prend vraiment tout un culot pour soutirer de l'argent à de pauvres innocents.

— Marcel m'a dit que tu ne demandes rien pour tes services. C'est à cause de ça ?

— En partie, oui. Je n'exerce pas ce métier par appât du gain. Une fois qu'on enlève l'argent de l'équation, c'est beaucoup plus facile de le pratiquer pour les bonnes raisons.

Nous marchons quelques instants dans un paisible silence souriant.

— Emma ?

— Oui ?

— Tu ne t'es pas encore sauvée.

— Je sais. C'est fou, hein ?

Non seulement je ne me suis pas sauvée, mais je viens d'avoir la conversation la plus vraie que j'ai jamais eue sur ma carrière de médium.

JEAN-SIMON
Rejet et hystérie

Je croyais être le dernier «observateur» arrivé au point de ralliement, mais non. Emma et Charles se pointent quelques minutes
plus tard, emportés dans une conversation animée. En les voyant
approcher, Julianne chuchote à l'oreille de François quelque
chose qui les fait sourire à pleines dents, et je me sens drôlement
exclu de tout ce qui se passe ici. J'en ai manqué une ou quoi?

Nous nous sommes tous rendus à l'avance au bassin du
Grand Carré, au cas où une de nos concurrentes aurait réussi à
expédier son épreuve rapidement.

Sage décision, puisqu'on aperçoit Marielle se diriger vers nous
à peine quelques minutes plus tard. Mes comparses ont l'air d'une
belle gang de taouins, quatre adultes sautant de joie et criant d'ul-
times encouragements. Elle ralentit le pas, s'arrête à une dizaine
de mètres de nous et sort son appareil photo. Elle fait de grands
gestes, intimant à ses enfants de se rapprocher les uns des autres
et de prendre la pose pour sa dixième photo.

Marielle reprend sa marche vers la victoire, et s'arrête à nouveau. Regardant derrière elle, elle aperçoit en même temps que
nous Angélique qui court tant bien que mal vers le fil d'arrivée.
Marielle regarde Emma, lui fait un grand sourire et reste plantée
là. Les encouragements hystériques font place à un silence aba-
sourdi. Elle attend Angélique.

EMMA
Le mot de la fin

Marielle attend Angélique. Je suis surprise, mais pas tant que ça. Et surtout, pas autant qu'Angélique ! À vingt mètres, elle accélérait sa course, pensant pouvoir dépasser Marielle. À dix mètres, elle ralentit, voyant que son adversaire la regarde. À cinq mètres, elle avance de plus en plus doucement, remarquant que Marielle lui sourit. Lorsqu'elle la rejoint enfin, et que Marielle lui tend la main pour qu'elles franchissent le fil d'arrivée ensemble, l'expression d'Angélique vaut... plusieurs millions.

Tout le monde braille. Les enfants sont en larmes, je sanglote comme une enfant, Louis-Joseph me montre une boîte de mouchoirs, et même le cynique détective tousse pour cacher son émotion.

Les enfants remettent deux enveloppes à Marielle et Angélique. De façon très appropriée, le mot de la fin revient à Louis-Joseph.

Pour ceux qui ont la curiosité
qui démange

Épilogue 1
Lettre finale de Louis-Joseph à Angélique

Chère Ange,

Félicitations, ma chérie, tu as réussi! Je suis fier de toi.
Ceci est ma dernière lettre, le point final de notre belle histoire.
Mais surtout, le point de départ de ta nouvelle vie. Je ne te donne-
rai pas de conseils, je l'ai déjà trop fait. J'ai confiance que tu sauras
trouver ton chemin sans moi.

Louis-Joseph

Lettre finale de Louis-Joseph à Marielle

Chère Marielle,

Ceci est ma dernière lettre. Tout ce qu'il me reste à te dire, c'est
que je te félicite et que je suis fier de toi. Mais plus important encore,
je veux répondre à la question que je t'ai posée dans le message que
tu as reçu à New York : pourquoi suis-je resté avec toi toutes ces
années ?

La réponse est simple : je t'ai toujours aimée. Malgré nos conflits, malgré notre éloignement, tu es toujours demeurée l'amour de ma vie. Je gardais espoir que les choses s'arrangeraient, que je reverrais un jour la femme aimante que tu tentais si fort de cacher. Je n'ai pas eu cette chance de mon vivant, il ne me reste qu'à souhaiter que je pourrai la revoir de là-haut.

Prends bien soin de toi et des enfants.

Ton Louis-Joseph

Épilogue 2
Description des photos prises par nos deux compétitrices :

Marielle :
1. Le mur pour la Paix ;
2. Une grand-mère et ses petits-enfants ;
3. La vitrine d'un magasin présentant des vêtements colorés ;
4. L'église Saint-Pierre du Gros Caillou ;
5. La station de métro des Invalides ;
6. Le pont de la Concorde ;
7. Un gros nuage ;
8. Une statue représentant un cheval ;
9. Un majordome qui aide un vieil homme à s'asseoir à l'arrière d'un taxi ;
10. Ses enfants.

Angélique :
1. La tour Eiffel à l'envers ;
2. Une statue d'ange ;
3. Une boutique de vêtements où elle veut aller magasiner seule ;
4. Trois amies marchant bras dessus, bras dessous ;
5. Un bel homme qui lui souriait ;
6. Un artiste peignant la Seine ;
7. Une pâtisserie ;
8. Marielle croisée par hasard ;
9. Un touriste consultant une carte ;
10. Une affiche de L'Oréal.

Épilogue 3
Six mois plus tard

Marielle
- A assisté avec joie à la naissance de son premier petit-fils.
- S'est acheté des vêtements de différentes couleurs.
- A créé une fondation pour aider les enfants déracinés, ainsi qu'un centre d'équitation pour les jeunes nouvellement immigrés.

Angélique
- Magasine (un peu trop) régulièrement toute seule.
- S'est payé un abonnement dans une agence de rencontre.
- Est retournée à l'école pour devenir agente de voyage, parce qu'au fin fond d'elle-même, elle sait ce qui est bon pour elle, et qu'elle s'écoute un peu plus souvent.

Jean-Simon
- A investi dans sa carrière de détective: il s'est procuré un meilleur équipement de surveillance et fait régulièrement paraître une petite publicité dans les journaux locaux pour promouvoir ses services.
- A accepté de rencontrer une amie d'Emma, et la fréquente assidûment depuis (l'amie, pas Emma).
- A fait appel aux talents d'Emma pour l'aider à résoudre quelques-unes de ses enquêtes.

Emma
- Fidèle à son habitude, a remis une grande partie de ses gains à ses œuvres de charité préférées, mais a aussi gardé un certain montant pour s'acheter une nouvelle voiture.
- Même si elle a encore du chemin à faire, pratique fréquemment le lâcher-prise avec ses clients.
- N'a toujours pas reçu de visite de son Alexandre.
- Maintient un contact régulier avec Marielle, Angélique, Jean-Simon... et Charles.

Note de l'auteure

Toute ressemblance avec des personnes réelles, vivantes, mortes ou entre les deux est une méchante grosse coïncidence.

ANNIE L'ITALIEN

Je ne sais pas exactement comment m'est venue l'idée de départ de ce roman. Étant donné que je ne crois pas aux manifestations surnaturelles en général et aux médiums en particulier, c'est un choix pour le moins étrange. Peut-être parce que j'aimerais parfois que tout ça soit vrai, que nous puissions nous entretenir avec les gens qui nous ont quittés, qu'il y ait bel et bien un au-delà, un endroit rigolo et paisible d'où les morts peuvent nous observer, veiller sur nous et nous conseiller en douce. Et la réincarnation ? Quelle idée géniale ! Je me donnerais le droit de faire de grosses bêtises dans cette vie-ci, sachant que j'aurais l'occasion de me reprendre dans la prochaine, ou encore j'accepterais plus facilement de mener une petite vie tranquille, puisque la précédente était toute pleine d'aventures rocambolesques. Malheureusement, la pragmatique en moi a besoin de preuves. Vous en avez, vous ?

Que vous y croyiez ou non, j'espère que l'histoire de ces personnages défectueux en quête de réparation vous aura fait sourire, et peut-être, aussi, réfléchir un peu. Mais pas trop quand même.

www.annielitalien.com

JACQUES LAPLANTE

Le syndrome de la page blanche, il adore ça. Pour lui, le bonheur, ça vient en paquet de 500 feuilles de papier, avec une bonne réserve de crayons HB et quelques autres outils.

Avec sa griffe vive et pleine d'humour, il illustre depuis plus de vingt ans pour une panoplie de magazines, livres, et publicités aux quatre coins du continent.

DATE DUE

:N JUIN 2013

6 RECYCLÉ

)UIS IMPRIMEUR,

ADA.